D0997396

les raisins verts

222, Boulevard Saint-Germain  Paris VIIe

LES RAISINS VERTS

erre-Henri Simon

IERRE-HENRI SIMON

Pierre-Henri Simon, vous inscrivez en épigraphe de votre beau roman : « Les pères ont mangé des raisins verts et les dents des enfants grincent. » Voulez-vous nous indiquer, par là, que votre livre traite essentiellement du retentissement, sur le fils, des fautes du père ?

Oui, le texte biblique soulignait parfaitement le sens de mon roman, considéré dans le ressort fondamental de son intrigue. Mais il en éclairait une signification

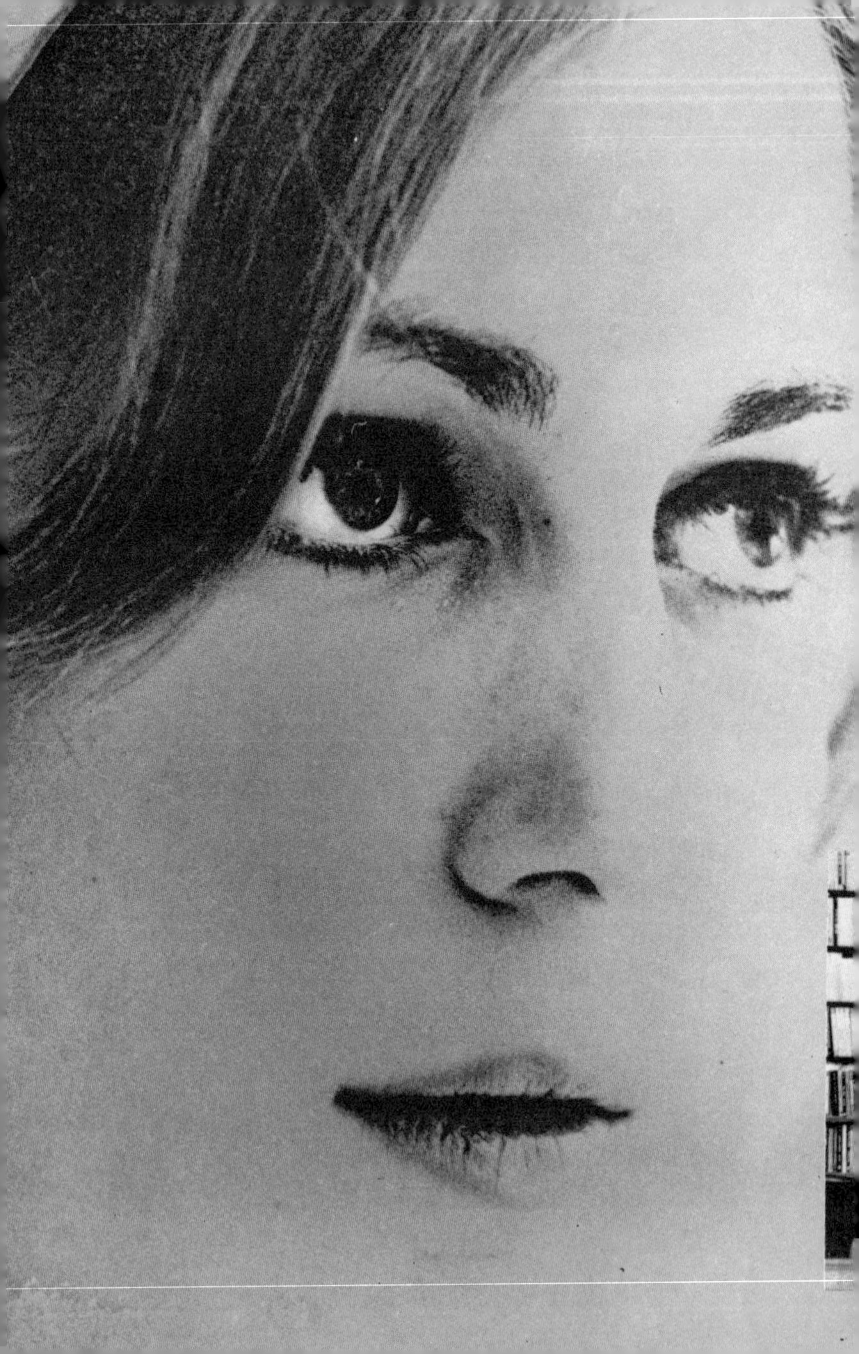

lus générale. Il n'y a pas seulement, en effet, entre la
énération des parents et celle des enfants, une
esponsabilité morale de la première sur la seconde, en tant
ue les fautes des uns provoqueraient les fautes des
utres. Il y a, plus largement, une solidarité, qui tient
u sang et à l'éducation, et qui fait que la philosophie
le la vie, la culture, les idées et les mœurs qui composent
e climat de la famille appellent, chez l'enfant
ui en naîtra et en recevra l'éducation, des réactions,
les refus critiques, des ressentiments, des attitudes de
évolte. Denis en veut autant à son père d'être un grand
ourgeois chrétien et conformiste que d'avoir été le
éducteur de sa mère. Cela aussi fait grincer
es dents.

Par-delà ce cas particulier — Denis, le fils, n'est pas

vraiment reconnu par son père, car c'est un enfant adultérin —, avez-vous entendu traiter le fameux « conflit de générations » ? Et dans ce cas, ne peut-on objecter qu'en dépit de son goût, plus affirmé que vécu, pour les formes d'expression qui se réclament de l'instinct et de l'inconscient, Denis parle le même langage que son père — celui de l'introspection — et, au fond, table sur la même culture humaniste ?

C'est exact. Le conflit des générations se produit entre le père et le fils, mais atténué par le fait qu'ils réagissent sur un même fond de culture et avec une parenté de tempérament. Il est important de remarquer que l'action de mon roman se situe entre les deux guerres, plus spécialement dans les années trente, *c'est-à-dire en deçà de la crise de l'humanisme bourgeois.* Celle-ci éclate autour de 1940, avec l'existentialisme sartrien, avec les progrès intellectuels du communisme, avec l'adhésion de la jeune droite au national-socialisme, etc., et elle produit ses effets décisifs après 1950, c'est-à-dire quand l'enseignement de la philosophie appartient à des maîtres sartriens et marxistes, et quand les réflexions sur la seconde guerre mondiale et ses suites ont franchement tourné les esprits vers l'éthique révolutionnaire. Mais je puis témoigner que, dans les années trente, la jeunesse non-conformiste, marxiste ou chrétienne, est encore humaniste. Exemples Malraux, Camus, Nizan, Sartre lui-même, Mounier, Dandieu, Bergery, Aragon et combien d'autres !

FACULTÉ DES LETTRES
OUI

Les Raisins verts *date de 1950. C'est donc un livre bien antérieur aux événements de Mai. Mais ceux-ci ne sont-ils pas susceptibles de projeter sur lui un éclairage intéressant ?*

Oui, mais en tenant compte de la réponse que je viens de donner à la précédente question. Les événements de Mai révèlent la jeunesse de la contestation totale et continue, du refus absolu de l'héritage. La date importante à considérer n'est pas ici celle où paraît le roman, mais l'époque où se situe l'action. La France de 1935 n'est pas celle de 1950 et encore moins de 1968 : la jeunesse qui s'y forme, et dont une partie va se jeter dans la Résistance, croit encore à beaucoup de choses et de valeurs. L'idée que sa vocation révolutionnaire pourrait se manifester à casser l'Université et à saccager des laboratoires ne lui était pas encore venue.

Votre livre semble récuser les schémas d'explication psychanalytiques. Une investigation de cet ordre ne serait-elle pas féconde, cependant, en ce qui concerne la situation familiale que vous décrivez ?

Peut-être, mais j'avoue que je redoute la psychanalyse des romanciers. Ceux-ci ne possédant pas — c'est du

moins mon cas — les instruments de cette discipline difficile, n'en peuvent appliquer que des schémas très généraux, qui gênent l'observation plus qu'ils ne l'éclairent. Sans doute, on pourrait dire que Denis « tue le père »; mais la haine qu'il a pour lui, et qui est d'ailleurs loin d'être absolue, va à l'homme hypocrite qui n'a pas eu le courage d'assumer totalement sa paternité. Et son affection la plus profonde et la plus douce va vers l'homme simple et honnête qui lui a donn son nom et son amour, et qui a été, par le cœur et l'esprit, son père plus vrai que celui de sang.

L'amour charnel semble curieusement absent de la vie de Denis — car le sentiment qui le porte vers Irène tradu surtout une nostalgie maternelle —; et le sensualisme gidien, d'autre part, de certaines pages de son journal demeure assez littéraire. N'y a-t-il pas, au fond de lui, une intransigeance vis-à-vis de la chair par quoi il rejoin

Annou ? Ne peut-on voir, ici, un soupçon de puritanisme, de manichéisme ?

J'avoue que je suis embarrassé pour répondre. Fils adultérin, Denis peut avoir, contre l'ordre de la chair, des réflexes de défense et de dégoût qui viennent de ce qu'il a souffert de sa situation. Mais je ne le crois pas

tellement défendu contre l'amour charnel. L'émotion qu'il éprouve en présence d'Irène, belle, épanouie, sensuelle et frustrée va très au-delà, me semble-t-il, de la « nostalgie maternelle » — à moins que nous ne supposions que celle-ci est toujours l'impulsion déterminante de l'amour chez un jeune garçon sensible. Ici encore, il faut tenir compte des différences d'époques. Au temps où j'écrivais *les Raisins verts*, l'actuelle liberté de l'expression érotique n'avait pas envahi le roman au point où elle l'a fait aujourd'hui. Du moins, en ce qui me concerne, j'appartiens encore à une génération d'écrivains qui trouvaient plus d'intensité à la sensualité littéraire quand elle s'exprimait par des mots allusifs que par des descriptions cliniques. Le mot d'Irène à la fin de la scène de Meschers, assez chaude : « Tu me découvres entre nous une horreur » disait tout.

N'y a-t-il pas quelque chose d'un peu inhumain chez Annou ? Ne triche-t-elle pas un peu, à sa manière, par excessive simplification ?

Je ne le pense pas. Ou, du moins, son inhumanité est celle que l'on pourra toujours reprocher à une nature mystique, puisque la disposition particulière de celle-ci est de passer au plan surhumain. Oui, ce qui me semble

assez réussi et assez vrai dans le cas de cette fille intelligente et pure, c'est qu'elle a percé à jour le réseau d'impuretés et de mensonges dans lequel vit sa famille; et il lui est apparu évident qu'il n'y a pas de remède possible dans l'ordre de la morale positive, que le mal serait encore plus grand à faire éclater la crise, à rompre entre Gilbert, Irène et Denis le silence où l'horrible s'est lové. Il lui reste le recours en Dieu, la prière, l'appel à la grâce, ou peut-être, simplement, la compensation de sa propre souffrance offerte pour contre-peser le malheur et les péchés des siens. On peut aussi reprocher au Christ d'avoir triché en se faisant clouer sur la croix au lieu de prendre la tête de la révolution des opprimés. Mais c'est pour avoir fait ce choix qu'il est le Christ.

Ne peut-on voir quelquefois, dans le portrait intellectuel que Gilbert d'Aurignac trace de lui-même, le reflet de questions que vous vous poseriez à vous-même?

C'est certain, j'ai défini ma philosophie « un humanisme sans illusion ». Toute mon œuvre d'essayiste et de romancier tend à sauvegarder en les purifiant certaines valeurs morales permanentes pour les intégrer dans les exigences du monde d'aujourd'hui. Je ne suis ni Gilbert d'Aurignac ni Denis van Smeevorde; mais je suis leur dialogue.

Votre ouvrage apparaît, sinon comme un roman à thèse — expression bien malheureuse — du moins comme un roman à message. Pourriez-vous, finalement, nous résumer ce message ?

Il est très difficile à un romancier de résumer la signification d'un roman; car ce qu'elle a de plus important est de l'ordre des nuances psychologiques, des finesses de l'analyse morale, des fragments de vérité humaine, et tout cela est pris dans la trame même du texte, éclate au détour d'une image, dans le bonheur d'un mot, dans le rythme d'une phrase. Je recopierai simplement les quelques lignes par lesquelles, en 1950, je présentais mon roman à mes lecteurs : « Tous mes personnages sont victimes et — malgré tout — solidaires. Leur souffrance ne sera pas inféconde si elle les oblige à purifier leur conscience et à discerner, sous leurs débats d'idées et de sentiments, une continuité d'amour et une même soif d'absolu. »

Les pères ont mangé des raisins verts,
et les dents des enfants grincent.

I

GILBERT D'AURIGNAC

1881-1946

I

Neuilly, le 2 novembre 1937.

Annou, ma sainte petite fille, c'est pour toi que j'entreprends ce récit; ou du moins je l'écrirai en songeant à toi, comme une confidence à voix basse. Peut-être ne le liras-tu jamais, soit que je n'aie pas le courage de l'achever, soit qu'ayant couvert ces feuilles blanches de tant de mots misérables, j'aie celui de les détruire pour n'en pas troubler ton repos. Oui, je devrais garder pour moi toutes ces choses, mes fautes, mes remords, mes chagrins et ce doute affreux qui depuis trois ans me torture — ne pas donner corps à ce qui, je le sais, Annou, est passé dans ton esprit comme un soupçon si insupportable qu'il t'a décidée à fuir la maison et le monde... Mais comprends-tu qu'il y a des moments où la solitude étouffe, où le cœur éclate, où il faut parler à quelqu'un?

Et qui peut m'écouter maintenant, Annou, sinon toi? Quel être puis-je invoquer qui soit pour moi un vivant? Deux mois à peine ont passé depuis que nous avons conduit ta mère au cimetière de Chignac — je t'ai raconté après quelles heures abominables, son départ incompréhensible dans la nuit, l'étrange accident sur la route, le corps agonisant qui nous fut ramené, et ce « pardon! » balbutié dans ses dernières minutes de conscience, comme si elle avait choisi de mourir... Et puis, Denis, lui aussi, m'a quitté; ou plutôt, il m'a fui : j'ai trouvé l'appartement vide en rentrant à Neuilly. De ce qui lui avait appartenu, il a tout détruit ou emporté; à peine a-t-il daigné m'apprendre qu'il s'engageait dans les brigades rouges pour la guerre d'Espagne; j'ignore son adresse, et j'ai bien compris qu'il ne voulait plus entendre parler de moi... De mes amis d'autrefois, vers qui puis-je me tourner? Saint-Philippe a gelé dans son personnage de ministre; la sécheresse ampoulée de sa lettre de condoléances achève de me séparer de cette momie décorative. Et tu sais que ta tante Laurence est sur les confins de la folie : je n'ai pas eu la force d'aller la voir dans la clinique spéciale où Denis a dû installer sa malheureuse mère avant de quitter Paris. Tu vois, il n'y a plus autour de moi que des ombres et des absences, et les glas de la fête des Morts m'ont semblé singulièrement sinistres ce matin.

Et toi aussi, Annou, tu es bien loin de moi dans l'espace, en ton couvent de Montpellier, séparée par une clôture que tu as voulue définitive. Pourtant, je sais que tu vis, et que je vis dans ton âme, et que ce grand feu surnaturel que tu nourris de l'essence la plus précieuse de ton être, cet amour que je ne suis pas assez mystique pour comprendre tout à fait, mais dont je pressens la chaleur purifiante, loin de m'exclure et de m'abolir m'appelle et m'enveloppe en toi. J'ai pu te voir quelques heures, pleurer auprès de toi, et le sentiment que tu m'aimes est tout ce qui me reste sur la terre. Mais je n'ai rien su te dire du mal qui m'oppresse, je n'ai laissé paraître que cette part de mon chagrin qui pouvait nous être commune; il reste au fond de moi mon angoisse, mon secret, mon péché. Ma petite enfant si pure et si forte, c'est tout ce poids que je voudrais déposer entre tes mains. Pardonne-moi! j'ai besoin de ta compassion, je n'en puis plus...

Tu connais la surface de ma vie. J'ai souvent parlé devant toi de mon enfance de hobereau pauvre, de ma jeunesse de bête à concours, de mon début assez brillant dans la carrière diplomatique; tu sais d'ailleurs que mes ambitions ont été déçues, et que je n'espère plus, à cinquante ans bien sonnés, émerger aux premières places. Mais comme ces choses me paraissent aujourd'hui de peu d'importance! Mon éducation dans un manoir poitevin, entre une mère veuve et dévote et un oncle taciturne qui aimait un peu trop le cognac; mes âpres années d'études, mes succès à la faculté de Droit et aux Sciences politiques, et même mon premier poste en Australie : rien de tout cela ne m'a profondément marqué. Il me semble que je n'ai commencé à vivre, c'est-à-dire à être conscient de moi-même, à peu près libre de mes pensées et de mes actes, qu'environ la trentaine, vers le temps de mon retour en France et de mon mariage. Jusqu'alors, je ne fus qu'un être passif et machinal : reflétant sans réactions les préjugés de mon milieu et les idées de mes maîtres, j'étais trop absorbé par des soucis d'argent et d'études, par mes examens et ma profession, pour avoir le temps d'être un homme.

C'est donc de l'année 1912 que je date ma naissance personnelle. Je rentrais de Melbourne, l'esprit aéré par trois années de voyages au bout du monde et le portefeuille gonflé de quelques économies. J'eus alors l'idée de me fixer deux ou trois ans à Paris, en principe pour mettre sur pied cette « Histoire de Vergennes » dont j'attendais gloire et fortune, mais davantage pour jouir enfin d'une vie de loisirs et de culture qui m'avait toujours été défendue. Je ne fus jamais si content qu'à l'époque où je formai ces projets et en vis avancer la réalisation. D'autant que je devais retrouver à Paris Saint-Philippe, le plus cher et le plus séduisant de mes amis. Agrégé de droit, il rédigeait la thèse d'histoire diplomatique qui devait lui ouvrir la Carrière et commencer ses succès. C'était alors le plus agréable compagnon, tout fantaisie, goût et finesse. Ayant décidé de faire un ménage de garçons, nous louâmes ensemble un appartement fort bourgeois en bordure du Champ de Mars.

Le jour même de notre installation — c'était par une soirée d'octobre roussie et très douce, et nous fumions une cigarette à notre balcon, — nous eûmes la surprise d'entendre monter de l'appartement au-dessous, par une fenêtre ouverte, une voix de jeune fille qui chantait, avec un timbre remarquable et un art assez sûr, une mélodie de Duparc — « Phidylé », je crois. Ce fut un moment parfait. Nous étions jeunes, férus de musique; nous entrions dans une période de notre vie riche de promesses : cet air savant, vibrant de sensualité heureuse et rendu par une voix de qualité, résumait une plénitude de joie calme et nous fit un inexprimable plaisir. C'est ainsi, Annou, par un chant réussi, que celle qui devait être ta mère s'est annoncée dans mon destin.

Il nous fut aisé d'identifier bientôt la chanteuse : une très jeune fille, grande et blonde, d'allure sportive et assez libre, que nous voyions sortir, presque chaque jour, avec son cartable à musique ou sa raquette de tennis. Des amis de Saint-Philippe, qui habitaient le quartier, nous apprirent qu'Irène Aupetit vivait avec ses parents, fille unique d'un officier proche de la retraite; ses professeurs de chant auraient voulu la pousser au théâtre, mais, sa famille ne l'ayant pas permis, elle suivait en amateur des cours au Conservatoire. Nous n'eûmes pas plus de peine à nous faire recevoir chez les Aupetit, et à voisiner familièrement avec eux. Le colonel, ton grand-père, était un honnête homme pour qui j'eus toujours de l'amitié. Placide et casanier, né pour faire un notaire dans quelque bourg de son Périgord natal, je ne sais quelle vanité de ses parents le poussa vers Saint-Cyr; n'aimant pas le métier militaire, il prit ses grades à l'ancienneté, ou peu s'en faut, et donnait le plus clair de son temps à la numismatique, en quoi il était devenu fort érudit. J'eus moins de sympathie pour sa femme, mais elle ne me parut jamais ennuyeuse, et je lui en sus gré : le monde est peuplé de tant d'êtres absolument vides qu'on finit toujours par goûter ceux qui ne sont pas interchangeables. Tardivement mariée, elle avait apporté dans la famille, outre le peu d'argent qui s'y trouvait, un caractère viril et un bon sens ferme. Haute et large, de poitrine plate, de profil chevalin, parlant fort et roulant les *r,* elle était superbement « la colonelle Aupetit ». C'est elle qui gouvernait le ménage, et je crois bien qu'elle commandait un peu le régiment. Au reste, elle ne manquait ni de distinction ni de tact. Partagée entre le désir de marier sa fille et le souci de ne point paraître la jeter à la tête des gens, l'impérieuse Armande nous recevait avec un dosage habile d'empressement et de dignité qui nous mettait à l'aise et donnait de l'agrément à son accueil.

Je suis donc entré dans mon drame par une sage idylle bourgeoise; je puis même dire que j'y suis entré par le bonheur. Aujourd'hui, je ne saurais plus évoquer sans m'attendrir, et sans m'égratigner un peu, l'aimable hiver 1913, nos soirées chez les Aupetit, nos sorties au théâtre, et les concerts où nous avions parfois la permission d'accompagner Irène. Combien notre Paris d'avant la guerre était facile et charmant! Nous suivions les ballets russes; nous découpions les premières livraisons de la « Nouvelle Revue Française »; nous découvrions Claudel et Gide; nous lisions « Le Grand Meaulnes » et « Barnaboth ». Notre joie était baignée de musique : Ravel et Stravinsky nous enchantaient, et surtout la voix d'Irène, fraîche et grave, « sa voix d'or brun », disait Saint-Philippe. Hélas! des jours devaient venir où cette voix me jetterait les mots qui font mal, par leur indifférence, par leur fausseté inconsciente ou voulue, par leur cruauté quelquefois. Mais je dois tout lui pardonner pour ce qu'elle a en moi insinué de charmes, éveillé d'échos.

Nous étions, Saint-Philippe et moi, ensemble amoureux d'Irène : au moins dans son premier état, ce sentiment ne mit aucun froid entre nous; je crois même qu'il nous rendait moins jaloux que complices. D'abord elle nous dispensa ses grâces équitablement, non comme des fleurs partagées mais comme un parfum répandu. Grâces moins de femme que d'enfant : la femme en elle se cachait encore. A peine avait-elle vingt ans, et nous avions, nous, dépassé la trentaine : cela mettait dans nos rapports, de notre côté une nuance tendrement protectrice, du sien de gentilles manières de petite sœur secrètement gâtée. J'aimais cela parce que j'aimais Irène; mais, au fond, ce marivaudage un peu susurrant, était-ce bien ce que je souhaitais? N'attendais-je pas de l'amour un échange de pensées fortes et mûres et, plus qu'un amusement du cœur et des sens, une joie grave et qui touche l'intime? Déjà se révélait en moi ce qui était devenu le signe majeur de mon caractère : faut-il dire ma grandeur, ma faiblesse ou mon vice, je ne sais. Mais enfin, c'est un fait que je préfère le réfléchi au naïf, la culture à la nature, et l'affectif ne me concerne que réfracté dans l'intellectuel. Ce n'est pas que je méprise la vie, je la vénère au contraire, mais je la sens davantage dans les actes de l'esprit que dans les mouvements de l'instinct. Parfois, en écoutant chanter Irène, j'avais le sentiment d'une perfection toute gratuite, qui ne devait pas plus à l'art qu'elle ne traduisait de passion. Elle chantait vraiment comme un oiseau, sans rien exprimer d'autre qu'une allégresse vitale un peu simple. Certes, des natures plus lyriques que la mienne auraient adoré comme un miracle cette jeunesse absolue, cette ingénuité gracieuse, cette légèreté de nymphe. Je les goûtais, mais non peut-être sans arrière-pensée. Je cultive la plénitude construite et cohérente; l'infantile et l'inconscient ne m'intéressent qu'à moitié.

Je ne fis ces réflexions que plus tard. Sur le moment, je n'avais pas tant de clairvoyance, et je ne voulais que plaire à Irène et l'épouser. La présence de Saint-Philippe commençait à me paraître inquiétante, sinon irritante. Il était plus beau que moi et faisait mieux sa cour; il était plus riche aussi, et son avenir s'annonçait meilleur. Pourtant, dès la fin de l'hiver, il fut visible qu'Irène me donnait l'avantage. Je n'ai jamais bien compris pourquoi, et j'ai le droit de croire que ce fut par attrait. Ou du moins, si le calcul intervint, je pense qu'il n'eut rien de vil. Ta mère n'avait pas d'orgueil, pas d'ambition, mais elle voulait être aimée — je le dis sans reproche, car il entrait beaucoup d'élan et de générosité dans cette aspiration égoïste. Instinctivement, elle sentit qu'elle pouvait faire plus de fonds sur moi. Saint-Philippe ne jouait pas franc : la sécheresse avisée qui devait le conduire assez loin perçait déjà sous ses enthousiasmes juvéniles. Physiquement très épris, il trouvait Irène trop jeune, trop peu fortunée, trop futile pour une femme d'ambassadeur; au fond, il redoutait de se laisser tomber dans un bête de mariage, et quand je lui annonçai que j'allais faire ma demande et que j'étais certain d'être accepté, je crois qu'il en eut plus de soulagement que de chagrin. Bien entendu, il ne me l'avoua point, ni à lui-même : il joua le « coup dur », et, devant notre amitié comme devant sa conscience, il mit au plus haut prix l'élégance de sa retraite — cette mission soudaine dont il se fit charger à Saint-Pétersbourg. Deux ans après, une fille, d'ailleurs fort belle, de la haute banque protestante, devait sans trop de peine le guérir et le rendre au bonheur conjugal.

J'épousai ta mère au début de l'été. Après un classique voyage aux lacs suédois, nous fûmes invités à passer les mois de vacances en Périgord, dans la maison de famille des Aupetit. Je m'y ennuyai furieusement. Cette maison, tu la connais : grande bâtisse prétentieuse et branlante, à l'entrée d'un bourg sans caractère. Indivise entre les quatre fils Aupetit, elle était alors habitée par tes trois grands-oncles : Ariste le veuf, Théodule le célibataire, et l'abbé Tiburce, prêtre habitué de la paroisse. Braves gens, bien sûr! mais si l'on se mettait à se plaire avec les braves gens, où n'irait-on pas! Je n'ai rien vu de plus engoncé dans les préjugés niais, dans l'égoïsme cynique et dans le matérialisme inconscient que ces trois bourgeois de province. Incultes et paresseux, ils achevaient de grignoter un médiocre capital en remâchant leur rancune contre la démocratie qui les submergeait et qui, tout compte fait, valait mieux qu'eux. J'avais cru d'abord que c'étaient trois originaux : pas même! leur banalité bientôt m'accabla. Tes grands-parents leur étaient supérieurs; mais à peine débarqués à Chignac, les démons du lieu les reprenaient et enlisaient leurs esprits dans la fosse commune.

Les conversations, que l'irritabilité des caractères et l'aigreur des digestions soutenaient habituellement au diapason de la dispute, portaient sur deux grands sujets : les recettes de cuisine (car c'étaient d'affreux gourmands) et les mérites comparés des trois journaux reçus à la maison : « La Croix de Périgueux », « La Liberté du Sud-Ouest » et « L'Écho de Paris », la question étant de savoir lequel était le plus intransigeant à défendre les bonnes idées et à ennuyer la République. Parfois aussi revenaient sur le tapis les épisodes célèbres de la chronique Aupetit : comme l'histoire de cette boule de coton que l'oncle Ariste perdit pour l'avoir trop enfoncée dans son oreille gauche, et qu'il prétendait avoir recueillie l'année suivante, sortant de son oreille droite — ce que l'oncle Théodule et le colonel contestaient au nom de la science, combattus par l'abbé Tiburce, qui soutenait que tout est possible à la volonté de Dieu. Puis ces jacasseries de vieux oiseaux s'absorbaient tout d'un coup, le café pris, dans le morne recueillement d'un whist bi-quotidien, coupé de temps à autre par la voix impériale de ta grand-mère Armande qui n'y mettait pas moins de compétence que de passion.

Il semble que je m'attarde à des futilités. Mais ces premières déconvenues après mon mariage ne furent pas sans conséquences pour la suite de mes sentiments et de mes actes. Ce qui me peinait surtout, c'était de voir avec quelle aisance ma jeune femme s'accordait à l'esprit de Chignac. Elle se jetait bravement dans les disputes de ses oncles, prenait parti dans les factions, prêtait un intérêt extrême à tout ce qui concernait la tribu Aupetit. Elle avait le don — je devais m'en aviser plus tard et quelquefois m'en féliciter — de s'acclimater tout spontanément au milieu, quel qu'il fût; passive et légère, elle surnageait sur toutes les vagues et cédait toujours au courant avec une docilité nonchalante. Ce qui était, je le crois maintenant, une façon ardente et simple d'adhérer à la vie, je le pris d'abord pour un manque de caractère, sinon pour une pauvreté de nature. Sans doute je me disais qu'elle était fort jeune, et que son éducation dépendait encore de moi; mais je m'effrayais de la découvrir à ce point « demoiselle de Chignac ». Impossible de l'intéresser sérieusement à ce qui m'occupait alors : mes travaux d'historien, la doctrine maurrassienne dont je m'éprenais, mon inquiétude d'homme averti devant l'orage que je voyais monter sur l'Europe. Restait la musique; mais, à Chignac, pour complaire à ses oncles, Irène bêtifiait dans un répertoire de romances qui m'exaspérait. Restait enfin l'amour, qui était vif entre nous; mais j'étais encore trop jeune pour qu'il me suffît.

Je comptais bien construire à Paris l'intimité de mon ménage. Il fallut pourtant accepter de nous y installer chez mes beaux-parents; raison d'économie d'abord; et puis, c'était le bon plaisir de la colonelle; enfin, la santé de ma femme l'exigeait. Tu t'annonçais, et l'on t'a raconté les peines qu'a coûtées ta naissance. La grossesse fut douloureuse et périlleuse, et condamna ta mère aux plus exactes précautions. A trente-deux ans, ayant l'habitude de l'indépendance et le goût de la vie énergique, je me voyais le mari empêché d'une jeune femme dolente, et j'avoue, bien que ce sentiment ne soit pas beau, que je le supportais sans patience. L'accouchement faillit vous ôter la vie à toutes les deux; puis il y eut des complications infectieuses et, pour finir, une opération radicale. Un an après son mariage, la Phidylé rieuse et forte qui était entrée en chantant dans ma vie était une malade amaigrie et fragile, une jeune mère abîmée, condamnée à n'avoir plus d'enfants.

Annou, qu'est-ce que cela faisait puisque tu étais là ? Plus tard, quand tu fus devenue toi, quand j'eus connu ce que, déjà toute petite fille, tu rayonnais sur nous de grâce purifiante et pacifiante, je me suis dit souvent que, de quelque prix que nous t'eussions payée, tu étais encore le plus beau don qui nous fut accordé. Et alors, je me suis reproché l'espèce d'indifférence boudeuse avec laquelle je t'ai accueillie. Oui, je dois aussi t'en faire l'aveu : j'ai peu ressenti d'abord le bonheur d'avoir un enfant. Je n'inclinais pas spontanément aux philosophies sentimentales qui vénèrent la vie infuse dans un être avant qu'il n'ait révélé sa forme et sa valeur. Et cette petite boule rougeaude et vagissante que tu étais, je la voyais surtout comme un poids sur mon existence et comme une entrave à ma liberté.

Les médecins recommandaient pour Irène le changement d'air et le repos à la campagne. Le plus sage était de vous installer auprès de ta grand-mère, qui passait l'été à Chignac. Je vous y transportai à la fin de juillet. C'est là que nous entendîmes, le premier août, le tocsin de la mobilisation générale.

II

Le 10 novembre.

Je me demande si, parmi les causes qui font que les peuples se jettent lâchement dans les catastrophes, il ne faut pas compter le secret désir qu'ont beaucoup d'individus d'échapper à leurs drames privés. Un commerçant au bord de la faillite, un jeune homme sans avenir, un amant désespéré ou seulement un homme marié qui s'ennuie, se sentent délivrés par l'uniforme; la guerre, en cassant tout, donne une solution brutale à des situations normalement sans issues. C'est un peu dans cette disposition que je l'accueillis. Si les circonstances m'avaient laissé la liberté de mes mouvements, je ne vous aurais sûrement pas quittées; j'aurais continué à faire mon devoir de garde-malade et de père nourricier, bien qu'il m'en coûtât. Peu de temps auparavant, j'avais refusé un poste intéressant en Égypte, où ma femme et mon enfant n'auraient pu me suivre. Mais, puisqu'un événement fatal se chargeait de rompre la trame assez mal commencée de ma vie, je l'acceptai avec une satisfaction tout juste inavouée.

Je ne fus pas d'abord combattant. Désigné pour une mission spéciale auprès du ministère des Affaires étrangères, je n'eus pas à quitter Paris. Mais il n'était pas question de vous y rappeler : vous étiez beaucoup mieux en Périgord, auprès de tes grands-oncles et de ta grand-mère. (Le colonel exerçait un commandement sans éclat dans la zone des étapes; tu sais qu'il trouva le moyen de s'y faire tuer en 1917, par une bombe d'avion qui acheva ce guerrier malgré lui en héros accidentel.) Ainsi, je passai seul les dix-huit premiers mois de la guerre. Absorbé par mes fonctions et mettant mon honneur à profiter le moins possible des avantages de ma situation civile, je ne fis que rarement le voyage de Chignac, où tu devenais une grosse fille joufflue, et où la santé de ta mère s'améliorait. Tranquille pour vous, je me retrouvai livré à moi-même; d'abord avec un plaisir assez vif; puis vint l'ennui.

Non que le Paris de guerre fût triste. A quatre-vingts kilomètres du front, la vie avait repris, un peu moins facile mais toujours brillante. Sous le prétexte qu'il fallait divertir les héros en congé, on multipliait hypocritement les plaisirs, où les sursitaires de la mort ne se jetaient pas avec plus de fièvre que les profiteurs du massacre. Cela faisait une kermesse assez ignoble où j'errais avec gêne, y ayant moins d'excuses que les premiers et, je crois, plus d'honneur que les seconds. Mes meilleurs amis, même Saint-Philippe, étaient au feu. Tout le temps que je ne donnais pas à mon ministère, je le dépensais à mes travaux d'histoire, parmi les livres et les archives. Et quand j'éprouvais le besoin d'une conversation familière (car l'instinct de sociabilité, à cette époque, me tourmentait encore), j'allais causer ou dîner chez mes cousins Van Smeevorde.

Avec ma famille maternelle, d'origine flamande, je n'eus jamais beaucoup d'intimité. Cependant, adolescent, j'ai passé des vacances dans la villa d'Hardelot, où mon grand-père Van Smeevorde réunissait sa progéniture patriarcale; et c'est là que j'ai connu François, de quelques ans mon aîné, sans le distinguer d'abord parmi la nuée de mes cousins. Je le retrouvai plus tard à Paris, et nous y fûmes assez liés. Aujourd'hui, je n'évoque plus sans remords et sans honte le visage de cet homme simple et bon que j'ai fait souffrir, et qui m'a tellement surpassé en générosité et en élégance. C'était un curieux corps, chauve avant trente ans, avec des yeux globuleux et myopes, une peau rose d'enfant que la timidité faisait constamment rougir; immense de taille, de jambes et de bras, mais osseux, maigre et prématurément voûté, il donnait une impression de puissance menacée et maladroite : bon géant, visiblement prédestiné à la défaite, à la maladie, à l'humiliation. Placé à vingt ans dans l'affaire de famille, François s'y montra tellement inapte, si indifférent à la bataille de l'argent et au peignage de la laine, que ses oncles et ses frères l'expulsèrent sans façon, en lui remettant sa part de capital, qui était petite, la famille étant nombreuse. Il l'accepta d'autant plus volontiers qu'il se crut libre désormais de cultiver sa passion : les estampes et les beaux livres. Émigrant de Roubaix à Paris, il acheta, rue de Seine, un fonds de bouquiniste-antiquaire, et s'y fit peu à peu une clientèle hétéroclite et balzacienne de vieux amateurs gantés et bien-disants, de rats de bibliothèques efflanqués et fureteurs, de marquises ruinées qui négociaient discrètement les insignes de leur authenticité, et de marchands enrichis qui achetaient une ancienneté d'apparence. Anatole France ne dédaignait pas de lui rendre visite et de feuilleter ses bouquins. Mais François avait l'esprit trop distant, trop délicieusement fuyant et confus pour gérer un commerce, même de biens aussi peu matériels. Il payait trop cher ce qui lui plaisait, et souvent ne se décidait plus à le revendre; ou bien, il vendait trop bon marché, s'il croyait son chaland dans la gêne. Je l'ai toujours connu désargenté, et l'insouciance avec laquelle il supportait un état médiocre, s'y faisant un bonheur transcendant, invulnérable aux entreprises des malins et incompréhensible au vulgaire, n'était pas le moindre charme de ce garçon pur.

Seulement, il aurait mieux fait de ne pas se marier. Quand, encore étudiant, j'allais lui faire visite dans son arrière-boutique, où un lustre d'église, toujours allumé, éclairait un extrême fouillis de bibelots de valeur, de vaisselle salie et de vêtements épars, je n'aurais jamais supposé qu'il pût ouvrir un jour à une femme ce cloître abstrait, ascétique et désordonné. J'avais donc été fort surpris, à mon retour de

Melbourne, d'apprendre son mariage, et davantage encore quand je fus présenté à ma nouvelle cousine. Laurence était une femme brillante, elle aurait été absolument belle si on ne sait quoi d'excessif n'avait faussé chacun de ses dons : trop grande, trop mince, les cheveux d'un noir trop luisant, le front barré très haut de longs sourcils presque rejoints, les yeux largement fendus, d'une eau ténébreuse, avec des prunelles d'un extraordinaire éclat. Sa culture était solide, sa conversation sérieuse et spirituelle avec, de ce côté aussi, un dépassement de la mesure, un timbre aggravé de la voix, des sentiments exaltés, des jugements verticaux.

A trente ans, Laurence Chamard n'était pas mariée : elle était de ces femmes, plus superbes que charmantes, que les hommes admirent, recherchent et courtisent, mais dont ils ne font pas volontiers leurs maîtresses; et encore moins les épousent-ils : cherchant en vain en elles un certain charme de faiblesse, de douceur hésitante et docile, on dirait qu'ils en ont peur (et peut-être n'ont-ils pas tort). Fille d'un médecin de campagne sans fortune, elle avait fait des études à Paris — une licence d'histoire en Sorbonne et des cours à l'École du Louvre — grâce à quoi elle y vivait indépendante, gagnant petitement sa vie chez un éditeur de livres d'art. C'est ainsi qu'elle était entrée en relations avec François Van Smeevorde. D'un coup d'œil, elle avait jaugé la passion qu'elle lui inspirait, l'autorité qu'elle prendrait sur lui, les garanties de tranquillité conjugale que lui offrait sa bonhomie, enfin les chances matérielles fournies par la convenance de leurs occupations. Avait-elle eu des déceptions sentimentales, s'inquiétait-elle de vieillir et voulait-elle faire une fin? Je le suppose, bien qu'elle ne m'ait jamais rien confié sur ce chapitre. Tant il y a qu'elle se fit épouser : tels que je les ai connus l'un et l'autre, ce n'est sûrement pas François qui s'est avancé le premier; il désirait, mais elle a voulu.

A l'époque où je faisais la cour à Irène, pendant mes fiançailles et ma première année de mariage, j'avais assez peu fréquenté les Van Smeevorde. Outre que j'avais l'esprit et le cœur occupés, je ne me sentais guère à l'aise chez eux. Laurence avait tiré parti de l'entresol de la rue de Seine avec un goût original, y mettant dans un ordre strict cette profusion et cette violence qui étaient en elle : vieux meubles grossiers, étoffes modernes et porcelaines rares, opposition de couleurs vives sous un éclairage cru. Mais, dans ce cadre plaisant, l'air moral était lourd, comme il l'est toujours dans un ménage où l'on devine un désaccord intime, un échange continuel de blessures. En jouant sa vie sur un mariage de volonté, la jeune femme avait sans doute présumé de ses forces : la distance était excessive entre sa bouillante nature et la placidité de François. Ou, plus brutalement, l'intimité conjugale lui avait-elle réservé un poids imprévu de désillusions et de dégoûts? Il était visible que chaque parole, chaque geste et surtout les continuelles et parfois gauches attentions de son mari l'agaçaient; elle y répondait par une attitude hostile et méprisante, s'efforçant de la cacher sous un ton d'ironie familière et de persiflage affectueux, mais ne disant rien que pour le contredire, pour le vexer, pour le critiquer dans ses goûts, dans ses amitiés, dans sa famille, dans son caractère. Chose plus pénible, elle semblait avoir reporté sur sa fille Jeanne l'antipathie que son mari lui inspirait, et elle donnait ce désolant spectacle : une mère indifférente, excédée, durcie devant son enfant. François souffrait aussi, mais de tout autre manière : patient, muet, souriant sous l'égratignure, et acceptant le moindre signe d'indulgence et de pitié, la moindre formule conventionnelle d'amour avec une joie, une reconnaissance, un pouvoir d'illusion qui le rendaient touchant, mais en lui ôtant quelque chose de sa dignité. Aussi longtemps que l'idée ne m'effleura pas que je pusse tirer quelque avantage personnel de leur désaccord, une soirée chez les Van Smeevorde me semblait durer cent ans.

Cependant, dès les premières semaines de la guerre, je recommençai à m'arrêter fréquemment rue de Seine. François étant réformé, je n'éprouvais pas auprès de lui la gêne de mon costume civil. Et surtout, je pris l'habitude de les voir séparément : François à sa boutique, où il était charmant dans les crises d'enthousiasme que déclenchaient en lui un elzévir bien venu, une reliure de Derome ou de Padeloup ; et Laurence dans le petit salon aveuglé et sans air, ébloui de lumière artificielle et saturé de l'odeur de son tabac d'Orient. C'est là, tandis qu'elle classait des photos et corrigeait des épreuves, que je la découvris peu à peu : plus riche de vie intérieure, plus inquiète du sens de sa destinée, à la fois lucide et plus fragile, moins brusque et plus tendre que ne donnait à penser son allure d'amazone maigre. L'intimité se lia tout naturellement entre nous. Nous étions sensiblement du même âge ; nos cultures se rejoignaient, nous avions non seulement mille sujets de conversation, mais un commun langage, un code d'expressions synthétiques qui nous épargnaient les bavardages approximatifs. Ce qui manquait à ma trop jeune femme, je le trouvais justement dans celle-ci : une expérience du tragique humain, une maturité du jugement, une aptitude à saisir la vie comme idées et problèmes et à exister dans la conscience. Et moi, de mon côté, je lui offrais ce que François ne lui donnait pas : un certain brillant d'esprit, une audace de la pensée, une allégresse vitale que ma vue pessimiste du monde et des hommes n'avait pas encore, n'a jamais tout à fait étouffée en moi; et aussi, je crois, une personnalité plus virile, qui osait contrarier la sienne, lui imposer des choix, la faire céder ou gauchir. Nous nous disputions quelquefois, mais nous ne nous rencontrions jamais mieux que dans ces joutes où elle sentait sa volonté plier sous la mienne, sa nature de femme obligée à être.

— Annou, est-ce bien pour toi que j'écris? A mesure que je poursuis mon histoire, je vois surgir l'interdit de te livrer ces misères. Je t'évoque dans ta blanche robe dominicaine, agenouillée devant la croix et offerte pour porter les péchés du monde; et je me dis que je peux, que je dois t'apporter les miens. Mais tu es aussi, et tellement encore, ma petite fille! Comment soutenir cette rougeur qui va monter à ton front pour moi? Annou, quand je trace ton nom sur ces pages, peut-être ne cherché-je rien de plus que l'illusion d'une présence; peut-être suis-je absolument seul au monde, et les mots que je prononce en secret ne t'atteindront-ils qu'outre la mort, dans la grande paix miséricordieuse que tu espères — à moins qu'ils ne tombent dans l'éternel silence qu'il m'arrive encore de redouter... N'importe! Il faut que je me décharge de ce lourd passé muet. Parler me soulage, même si je ne dois pas être entendu.

C'est donc par une camaraderie intellectuelle que nous avons commencé; j'en eus, au début, un vif plaisir, dénué d'inquiétude et de scrupules. J'associais Laurence à mes travaux, et je la conseillais parfois dans les siens. Nous prîmes l'habitude de sortir ensemble, de nous retrouver dans les bibliothèques, dans les musées, au théâtre, sans nous cacher de François qui, loin d'y mettre aucun obstacle, paraissait se réjouir de voir sa femme plus contente. J'avais même l'impression — ou du moins je me fournissais hypocritement ce prétexte — qu'en distrayant Laurence, je servais les intérêts du ménage : elle semblait chez elle détendue, moins agressive. Certains soirs que je dînais rue de Seine, ou bien au restaurant où je les invitais, il régnait entre nous trois une franche bonne humeur et les apparences d'une sympathie sans ruptures.

Mais j'ai la disgrâce de vivre avec, braqué sur moi-même, un pinceau lumineux qui m'enlève bientôt les facilités et le repos de l'équivoque. Il m'a parfois manqué le courage d'éviter les fautes, mais non la clairvoyance de les reconnaître, ni la probité de me les avouer pour telles : j'ignore d'ailleurs si cette pureté sauvegardée de mon jugement me fournit des excuses, pour n'avoir pas confondu les valeurs morales, ou me charge davantage, pour avoir toujours agi en conscience et en volonté. Très tôt je me suis avisé de la tentation que représentait, dans une période de solitude temporaire et de déceptions sentimentales, la familiarité d'une jeune femme disponible; encore mieux, de la tentation que je représentais pour elle, du double sens que les propos apparemment innocents prenaient entre nous, et de chaque minime progrès, d'abord à peine sensible et voulu mais s'ajoutant avec une accélération fatale, vers les contacts et les gestes de l'amour.

Oui, quand j'essaie aujourd'hui de mesurer mes responsabilités, je les trouve moins positives et moins lourdes dans les heures de crise où Laurence est devenue ma maîtresse que dans cette période d'approche et de préparation : quand, suivant une stratégie instinctive mais lucide et conséquente, je m'ingéniais à faire surgir l'occasion d'un tête-à-tête ou d'un geste affectueux, à charger un regard d'une signification nouvelle, à provoquer une confidence. Or, en agissant ainsi, prolongeant légèrement un baisemain, serrant un instant le bras de Laurence dans la rue, ou lui avouant à demi-mot l'insatisfaction de ma vie et mon attente confuse du bonheur, j'étais parfaitement conscient de l'inviter à l'adultère, de la pousser sur le plan incliné qui va de l'amitié à la tendresse, puis au désir et à la passion. Et j'étais parfaitement heureux si je sentais qu'elle obéissait, qu'elle venait vers moi, qu'elle se prêtait au rythme de cette danse discrète, qu'elle consentait, consciente elle aussi, à un attrait reconnu, accepté, excité. Je crois l'avoir éprouvé : dans la consommation de la faute, alors que le désir entretenu, les habitudes prises, les secrètes concessions du cœur et du corps ont imprimé à la passion une certaine vitesse et frappé la tête de vertige, la responsabilité immédiate est moins engagée, et d'ailleurs le plaisir moins vif, que dans les premiers pas, encore hésitants mais évitables, en apparence innocents mais souvent décisifs, qui ne font qu'aborder le versant dont la profondeur ultime est la possession. La nécessité de l'incendie n'est que subie à l'heure où la lande brûle; mais elle est posée quand le fumeur négligent jette sa cigarette sur les feuilles sèches, ou quand le berger fait un petit feu de rien sur un territoire défendu.

En ce premier printemps de guerre, dans une atmosphère de chaos dont je subissais malgré moi l'inspiration, j'ai éprouvé un vif amour pour Laurence. L'attrait des sens a joué, mais moins que la satisfaction morale de rencontrer un être d'une intelligence claire et ferme, envers lequel était ou semblait possible une absolue franchise, un aveu sans réserve de soi-même. Quand nos sentiments changèrent de nature, nous n'en fûmes dupes ni l'un ni l'autre, et l'aveu que nous nous en fîmes alla tout droit. C'est avec la plus parfaite liberté d'esprit que furent envisagées les issues qui s'ouvraient à nous : ou tout briser et repartir ensemble, mais nous ne nous arrêtâmes pas à cette idée romantique, elle aurait produit autour de nous trop de désordre et de souffrance; ou renoncer et nous fuir, mais cet héroïsme nous parut au-dessus de nos forces, ou du moins en dehors de nos volontés; ou enfin sauvegarder les apparences, limiter les dégâts et réserver dans nos existences engagées ailleurs la retraite et la parenthèse d'un amour clandestin. C'est la solution que nous avons choisie, banale et médiocre, mais librement décidée. L'amour entre nous ne fut pas, du moins au début, un délire qui entraîne tout, un tourbillon où tout s'absorbe, mais une indulgence consentie à nos faiblesses et une offrande mutuelle de l'amitié.

Dans les conditions où nous étions — moi seul à Paris, Laurence libre de ses mouvements, et la parenté justifiant la familiarité de nos rapports — rien ne nous était plus facile que de conduire notre roman. Solution commode, trop commode même, et dont le confort me gênait. C'est de ce côté, plus que d'un conflit de raisons proprement morales, que me venaient des remords. Je me disais que les circonstances et non pas nos volontés, non pas même une fatalité de nos natures personnelles, nous avaient livrés l'un à l'autre : à la place où j'avais trouvé Laurence, n'importe quelle autre femme m'aurait attiré, et elle serait tombée aussi bien dans les bras d'un autre homme qui serait entré dans sa vie comme moi. Nous nous excusions de notre conduite par le sentiment de nous être choisis; mais n'était-ce pas une illusion, et n'avions-nous pas donné, au contraire, dans un piège grossier du hasard? Laurence, qui se posait aussi la question, s'en tourmentait moins que moi. Femme sur ce point, elle admettait sans aucune angoisse la contingence de la vie, et elle ne pensait pas qu'un bonheur fût moins précieux pour avoir été gagné par chance. « Deux êtres, disait-elle, dont les natures secrètement s'appellent, ne s'aimeront jamais parce que le destin a oublié de les présenter l'un à l'autre : et c'est un malheur, puisqu'il leur manquera toujours une présence et la seule chaleur humaine qui les eût apaisés. Inversement, des êtres qui ne seraient pas choisis entre mille, mais qui peuvent s'entendre, se reconnaissent et s'accordent parce que la vie les a fortuitement rapprochés : c'est une chance, et pourquoi la refuseraient-ils? » Laurence appelait justement orgueil cette défiance que j'ai à l'égard de tout ce que je n'ai pas voulu et construit. Je me laissai persuader aussi longtemps que je fus amoureux; quand je le fus moins, je retombai dans mon doute, me demandant si j'avais chéri cette femme parce qu'elle méritait en effet de l'être, ou seulement parce que je l'avais trouvée prête au moment où je cherchais quelqu'un.

Au fond, si Laurence se posait moins de questions sur notre amour, c'est qu'elle aimait plus simplement et davantage. L'affection dont elle m'entourait, et qui éclatait en attentions charmantes, mettait une grande douceur dans ma vie et tissait entre nous des liens que je croyais imbrisables. Mais ce qui surtout me troublait en elle, c'était, dans cette femme de trente ans insatisfaite, ce que je pressentais qui serait la fièvre et le tourment de ma quarantaine : une ardeur inquiète d'épuiser le champ du possible, de ne pas mourir sans avoir connu la perfection du bonheur, de saisir, de retenir les dernières chances de la jeunesse qui s'échappe, blessée et bouche close, sans avoir livré son secret. Un soir de février, nous traversions le Luxembourg à l'extrême instant du jour; sur les plus hautes branches encore ensoleillées, les moineaux se serraient, voletaient, brouillaient leurs voix. « Attendons ici, me dit-elle, il faut que des yeux aient vu la dernière brindille qui sera un fil de lumière; il ne faut pas laisser perdre le dernier cri d'oiseau qui tombera dans la nuit. »

Quand aujourd'hui je me remémore les phases de notre aventure, quand surtout j'examine ma propre conduite, je ne suis pas trop fier et je me juge sans indulgence. Mais, me juger, qu'est-ce à dire? L'homme que je suis devenu, avec son expérience du malheur, avec ses affections plus profondes et sa sensualité amortie, considère sévèrement celui, de vingt ans plus jeune, qui se débattait avec ses passions, ses déceptions, son ennui. Qu'est-ce qui m'eût retenu? Mon catholicisme de naissance et d'éducation était fort écaillé à cette date, et je ne savais plus très bien ce qu'était le péché; le fondement de ma morale étant d'épargner aux autres la souffrance, je me croyais libre de mes actes quand j'avais pris soin qu'ils ne fissent mal à personne. Et puis, n'avais-je pas subi, de toutes les tentations, la plus forte? Quand on rencontre un être d'une certaine qualité et que l'on sent prenable, comment ne pas l'aimer? Comment, étant chair et sang, éviter ce trouble, cette émotion devant lui, ce désir de contact essentiel et de possession totale? Être juste, bienveillant, et même courageux, comme cela est simple! Comme tout notre être y va franchement et d'accord avec soi! Mais exclure de l'amour possible, voilà l'obstacle, la sécession corps contre âme, et la division dans l'âme même... Je ne suis pas un révolté; je ne prêche pas, après tant d'autres, l'abolition des lois ou quelque évangile efféminé de la liberté amoureuse. Je sais qu'en cédant à ce genre de faiblesse on finit toujours par faire du désordre, en soi et autour de soi. Tout ce que je veux dire, c'est qu'il est des chutes contre lesquelles un cœur noble peut se trouver démuni, parce qu'elles impliquent une apparence et même une réalité de noblesse.

III

Le 20 novembre.

Je ne fus pas longtemps heureux dans ma faute. Franchi le pas d'une liaison charnelle, le style ferme et net de notre amitié s'abîma. Laurence perdit beaucoup de cette maîtrise de soi et de cette fierté virile que j'appréciais en elle; livrée à son instinct de femme, elle laissa davantage apparaître le côté exalté de sa nature, commettant des folies pour me rejoindre, exposant sa réputation et ma sécurité. J'aurais eu mauvaise grâce à lui faire grief d'une expansion passionnelle que j'avais préparée et appelée, et qui aurait dû flatter mon amour autant que mon amour-propre; mais elle contrariait une exigence d'ordre et de tenue que je prétendais satisfaire jusque dans un engagement irrégulier et déloyal; et mon plaisir s'en trouvait diminué.

J'étais spécialement choqué par la désinvolture et la tranquillité d'âme avec lesquelles Laurence trompait François. Celui-ci ne pouvait pas être dupe : il voyait bien la fréquence de nos rencontres avouées, et la gaîté de sa femme en ma présence contrastait avec l'indifférence qu'elle lui témoignait désormais; car, étant heureuse, elle n'éprouvait même plus le besoin d'être méchante avec lui. Le dernier homme à faire un esclandre, et même à lutter, mais non à souffrir; et son mutisme entre nous, la douceur contrainte et déchirée de certains de ses sourires, ses élans de tendresse presque maternelle pour sa fille, que Laurence négligeait de plus en plus, me causaient une gêne affreuse, un remords poignant. Hypocrisie et lâcheté de m'affliger pour la douleur et l'humiliation d'un homme, desquelles j'étais le premier responsable! J'aurais mieux fait d'y penser plus tôt, et il dépendait encore de moi d'interrompre ma mauvaise action... Mais non, il ne dépendait plus de moi; d'abord parce que la vague où je m'étais jeté me roulait maintenant sans que j'y pusse rien; et ensuite parce que, *moi,* c'était devenu la partie d'un *nous,* ce couple de deux volontés qui ne se laisseraient plus dissocier sans crise. Et pourtant, j'étais sincère en me tourmentant pour François, en cherchant à épargner autant que possible sa sensibilité et sa dignité, en prenant son parti dans mon cœur. Mais Laurence, quand j'abordais ce sujet, me répondait par le mot romantique, par le vieux cri de la passion : « Que nous importent les autres! » — sans doute parce qu'elle était plus loin que moi dans l'amour, je veux dire dans cette forme égoïste et charnelle de l'amour qui est le désir exclusif d'un être singulier.

Tant que je fus seul à Paris, c'est-à-dire jusqu'à la fin de l'année 1915, notre attachement demeura fort. Les voix de mélancolie ou de honte ne frémissaient en moi que sourdement, ne couvraient pas le chant du désir. Ce qui m'agaçait ou me froissait chez Laurence, les légères froideurs qui s'ensuivaient de mon côté et qu'elle me reprochait parfois, n'allaient pas jusqu'à nous séparer. Ou du moins, quand nos cœurs hésitaient, nos sens demeuraient à vides, et nous dispensaient assez de ferveur pour que s'y abolît la conscience de nos différends. Mais il nous arrivait déjà de connaître la tristesse énorme de la chair qui avance seule où le cœur ne suit plus.

Au début de l'hiver, Irène manifesta l'intention de me rejoindre avec toi. Elle avait recouvré sa santé, tu étais vigoureuse et la guerre promettait de durer : il n'y avait plus de raison de prolonger votre station en Périgord; d'autant moins que ma belle-mère brûlait de rentrer à Paris, pour y exercer les fonctions et les prérogatives d'un grade élevé dans la Croix-Rouge. Je puis me rendre cette justice que je n'ai rien fait pour différer votre retour : je dus même m'avouer que je le désirais. Mais je n'imaginais pas les heures pénibles qu'il me préparait.

En effet, ce ne furent pas seulement les circonstances de ma vie qui changèrent, ce fut mon idée du bonheur. Je me retrouvai d'un coup encadré dans mon foyer, entre une jeune femme que j'avais la surprise de voir revenir joyeuse et belle, et un enfant qui n'était plus un paquet de chair laiteuse, mais un être neuf dont l'âme, émergeant lentement des brumes intérieures, se révélait chaque jour plus précieuse dans la transparence du regard. Je m'aperçus brusquement que ma place était entre vous, que je ne devais plus craindre que ce qui vous menaçait, plus espérer que ce qui vous donnerait la joie; je me sentais promis et lié à cette espèce de béatitude âpre et tiède, qui est de soutenir la faiblesse des êtres chéris.

L'instinct conjugal et l'instinct paternel n'avaient pas eu le temps de s'éveiller dans ma première année de mariage : j'étais passé sans transition d'un amour fougueux, dont le serment matrimonial avait été la condition plutôt subie que voulue, à une phase de désillusions, de déconvenues et de tracas qui en avaient amorti momentanément le feu. Mais, une nuit de janvier 1916 où tu étais souffrante et où ta mère, fatiguée de te bercer, s'était endormie sur mon épaule, je découvris soudain, en écoutant ta petite respiration coupée par la fièvre, et la sienne, calme et forte comme une belle vie, que j'étais époux et père et que, sinon par la mort, je n'éluderais plus ma vocation.

Aussi décidé que fut le retour à mon devoir, et bien que la fatalité du cœur y jouât un plus grand rôle que la volonté même, ce qui m'attachait à Laurence restait néanmoins trop fort pour céder sans déchirement. N'avais-je pas aussi, envers elle, sinon un devoir, au moins une dette ? Autant que par un regain du désir, ravivé dans la difficulté désormais périlleuse de nos rencontres, je me sentais retenu à elle par un scrupule d'élégance et de générosité. Eussé-je cessé de l'aimer, j'aurais eu honte de la rejeter dans sa solitude pour la seule raison que j'avais trouvé un nouvel équilibre de mes sens et de mon cœur. Tout ce que je tentai d'abord pour la convaincre que nous devions transposer notre amour au plan supérieur d'un renoncement consenti et d'une noble amitié, se heurta à son refus passionné. L'*invitus invitam* ne lui convenait nullement, le sublime ne la consolait guère, et elle ne voyait pas de raison pour revenir sur notre décision première d'une liaison fidèle et cachée. La vertu éminente de Don Juan, qui est de rompre sans hésitation ni remords, me faisait défaut. Je fus ainsi jeté dans l'aventure d'une double existence partagée non, comme je l'avais prémédité, entre la compagnie indifférente de mon foyer et une maîtresse élue par amour, mais entre deux mondes, entre deux systèmes de gravitation sentimentale qui m'étaient devenus l'un et l'autre nécessaires.

Peut-on aimer en même temps deux femmes, avec une égale pureté d'affection et de désir ? La nature virile ne s'y oppose pas, et c'est ce qui donne sa complication initiale au problème de la fidélité. Mais la morale se fait en partie contre la nature : celle de l'homme social comme celle de l'homme spirituel. Il est évident que l'homme social, dans l'état de nos mœurs et de nos institutions, ne peut jouer longtemps, sans troubler l'ordre et sa propre tranquillité, la partie de l'adultère. Mais, à supposer qu'une profonde révolution juridique et morale balaie comme préjugés ce qui nous paraît lois et interdits, dans l'hypothèse d'une société où les liens du mariage soient distendus au maximum, où l'élan amoureux se puisse avouer avec la plus grande franchise, je crois, pour en avoir fait la dure expérience, que l'homme spirituel ne consentira jamais sans déchéance et sans tourment le partage habituel de son amour. Car, ou bien il se cachera, il mentira, et cette goutte d'improbité va suffire à dénaturer ce qui fait la qualité noble de l'amour des sexes : l'intégrité du don, la transparence miraculeusement rétablie entre deux êtres; ou bien il avouera, il imposera le partage comme normal, et alors celle qui l'aura accepté sera à son tour devant l'alternative ou de la rancune et de la souffrance, ou d'une résignation passive qui ne laissera pas indemne sa propre dignité. Je ne pense pas que l'on puisse en sortir : aucun bouleversement des structures sociales n'abolira le fait d'un conflit latent entre les instincts de la nature charnelle et les aspirations de l'esprit, entre le culte du *moi* et la considération de l'*autre ;* aucune évolution de la moralité ne supprimera pour l'individu les drames et les souffrances de l'amour; aucune révolution ne dispensera l'homme de gouverner son cœur et de sauver son âme — à moins qu'elle ne tue dans l'homme le cœur et l'âme.

Les inconvénients d'une situation équivoque, je les essuyai dans leur perfection. Il n'y avait pas de raison avouable pour que le retour d'Irène interrompît mon intimité avec mes cousins. Nous eûmes donc, entre ménages, des rapports d'apparente amitié où tout sonnait admirablement faux. Irène, à son habitude, ne laissait paraître que sa lisse gaîté et sa gentillesse légère; jeune et sûre de sa beauté, qui devenait éblouissante, elle ne se méfiait pas de Laurence, ou du moins elle n'en avait pas l'air : plutôt semblait-elle éprouver, pour cette aînée qui la dépassait en expérience, en culture et en esprit, une sympathie admirative et confiante. J'aurais eu moins de scrupules à tromper une femme avertie, toutes griffes tirées et grinchant comme une chatte : tant d'abandon me désarmait. La jalousie n'était donc pas du côté de ma femme, mais de ma maîtresse : contenue, assourdie, mais combien douloureuse et violente! Laurence avait certes trop de finesse pour se montrer ouvertement aigre et âpre : elle sentait que je ne lui eusse point pardonné de blesser ou d'humilier Irène, et qu'elle n'avait chance de me garder qu'en l'épargnant. Mais, sous l'affabilité superficielle des propos, que d'épines ingénieuses! J'ai tort d'écrire : ingénieuses; car c'est vraisemblablement à son insu, inspirée par les remous d'une affectivité souterraine, que Laurence trouvait fatalement ce qu'il fallait dire ou faire pour être désagréable à ma femme, ou pour la diminuer à mes yeux, ou pour me donner quelque ennui de sa présence. Si elle vantait la voix d'une chanteuse, c'est qu'elle pensait qu'Irène, l'ayant eue pour compagne au Conservatoire, pouvait éprouver du dépit de son succès. Si elle mettait la conversation sur un auteur, c'est qu'elle supposait qu'Irène ne l'avait pas lu ou n'était pas assez informée pour suivre notre discussion. Si elle nous proposait d'aller voir une pièce de théâtre, c'est qu'elle savait que j'avais grande envie de la connaître, mais que, pour ne pas abandonner Irène, retenue à la maison par son enfant, je devrais me priver d'y aller.

Cette petite guerre sourde m'horripilait, comme aussi celle que je devais soutenir contre ma belle-mère. La colonelle Aupetit n'était pas une femme à qui l'on en contait : il lui avait suffi de nous voir ensemble, Laurence et moi, pour être convaincue d'un fait que, d'ailleurs, elle était toujours portée à croire dès qu'elle apercevait de l'intimité entre deux personnes, fussent-elles du même sexe. C'est ce qu'elle appelait rudement son « expérience du cochon intérieur ». Dans le cas présent, sa clairvoyance maligne ne la trompait point. Bien qu'elle ne m'attaquât jamais de front, elle ne manquait pas, dès que l'occasion s'en présentait, de diriger sur moi un tir indirect d'allusions bien placées, qui me précipitaient dans une inconfortable confusion. Cette femme forte m'intimidait; contre elle, je défendais mal une position, même solide. Or je me sentais faible et lui quittais chaque fois le terrain.

Ce n'était que la petite monnaie de mes ennuis; mais j'avais des chagrins plus lourds. Je ne m'accoutumais pas à la nécessité de toujours mentir, aux transes d'une existence furtive et à la peur continuelle d'une surprise qui en détruirait l'équilibre incertain. Les occasions de nous trouver seuls,

Laurence et moi, étaient rares et dangereuses. Comme j'avais dû faire, pour les besoins de mon service, un voyage en Angleterre, Laurence prétexta d'amener sa fille à ses beaux-parents, réfugiés en Normandie, pour me rejoindre à Rouen; mais elle y rencontra inopinément, en attendant mon train, un frère de François, qui la croyait repartie pour Paris, et elle dut inventer une invraisemblable histoire pour justifier son séjour; nous passâmes ensuite deux désagréables journées, sous la menace d'être reconnus, n'osant sortir de l'hôtel que pour nous cacher dans une salle de cinéma. Je détestais courir ce genre de risques, et Laurence, qui les acceptait plus sportivement, me faisait grief des crises de mauvaise humeur où me jetait alors ce qu'elle appelait dédaigneusement ma pusillanimité bourgeoise. Elle y voyait, non sans raison, le signe que je me lassais de notre liaison, que je me rattachais à mon bonheur légal. Déjà nous avions à ce sujet des explications pénibles, où s'amortissait quelque peu la belle franchise d'amitié qui m'avait tant plu dans nos premiers rapports. Et je voyais arriver le moment où nous n'éviterions plus les scènes d'une ignominie banale. Il fallait en finir.

Le courage de rompre, Annou, c'est de toi qu'il m'est venu. Un soir, j'étais seul avec toi dans l'appartement. Irène, avant de sortir, avait apporté ton parc dans mon bureau, et tu t'occupais sagement à pousser sur la tringle les boules bleues et rouges, tandis que j'annotais un rapport — je me souviens de ce détail — sur les intrigues des princes arabes dans le Proche-Orient. On sonna; c'était Laurence. Quand la porte du bureau fut refermée, elle se jeta dans mes bras et, en ta présence, ma petite fille, nous échangeâmes un baiser d'amants. Tu nous regardais, sans méfiance et sans surprise, de tes grands yeux purs ouverts sur le monde impur. Ton âme n'avait pas encore puissance de comprendre et de juger : en sa claire surface, elle s'offrait docilement au spectacle, prête à refléter le bien et le mal, la beauté et la laideur, tout ce qui lui serait confusément présenté, mais promise à souffrir, en sa profondeur, de ce qui troublerait sa limpidité essentielle. Je te le dis, Annou, c'est ton regard qui m'a décidé; c'est lui qui m'a frappé soudain de cette douce, de cette dure flèche de lumière dont mon cœur fut percé, je l'ai senti sur le coup, à la place qu'il fallait pour que surgît en moi une volonté plus forte que tous les désirs, toutes les révoltes et tous les sophismes. Je me le suis juré dans cet instant, ou plutôt je l'ai *su :* désormais, autant qu'il dépendrait de moi, rien n'entrerait dans ton âme qui pût ôter sa candeur et sa paix.

Le parti que je pris, je n'ai pas à en rougir : je décidai de me faire envoyer sur le front. C'était encore une mesure dilatoire plutôt qu'une solution définitive; mais la seule voie ouverte pour interrompre une situation intenable, sans offenser toutefois la dignité de Laurence. Ou je ne reviendrais pas de la guerre, et c'était une issue (il est, en somme, plus facile de bien mourir que de bien vivre); ou je serais épargné, mais il aurait passé du temps, et le temps est un sage conciliateur des procès de la vie. — D'ailleurs, des motifs d'un autre ordre conspiraient à ma décision. Depuis plusieurs mois, quelques efforts que je fisse pour me rendre utile à mon pays, je me sentais mal à l'aise dans le cabinet d'un ministre. Je voyais autour de moi des garçons éminents se gonfler de l'illusion qu'ils commandaient aux forces déchaînées de l'histoire parce qu'ils écrivaient sur du beau papier : je n'arrivais point à partager leur bonne conscience, à regarder de loin, comme le lieu d'une intéressante expérience, le creuset où nous envoyions fondre les bataillons. Bien que les hasards de ma carrière m'aient souvent placé dans leur camp, la suffisance des intellectuels qui s'occupent, dans les états-majors et les gouvernements, à exploiter les catastrophes, ne m'a jamais plu; ils sont des exécutants aux ordres du destin; je trouve, au fond, plus d'honneur et moins de désespoir à rejoindre la foule des exécutés. Une logique conséquente aurait dû me conduire à rendre mes galons d'officier et à servir comme simple soldat; mais les protestations spectaculaires ne sont pas de mon goût. Je m'apprêtais à partir simplement à ma place, lieutenant d'infanterie coloniale dans un régiment du corps expéditionnaire de Salonique.

Je m'étais décidé brusquement, sans en parler à personne; je n'en avisai mon entourage que deux jours avant mon départ pour Toulon, où je devais rejoindre mon unité et attendre l'embarquement. Irène eut certainement du chagrin; mais les idées de son milieu et son propre caractère l'aidèrent aussitôt à le surmonter. Fille d'officier, elle trouvait normal que je fisse la guerre ailleurs que dans des bureaux, et les inquiétudes qu'elle allait partager avec le commun des femmes lui semblaient plus naturelles, sinon moins pénibles, que la gêne de paraître la femme d'un « embusqué ». D'ailleurs, avec une aisance qui était sa grâce, elle se pliait toujours à l'événement, et le monde, même bouleversé, lui paraissait encore harmonieux. Tout autre fut la réaction de Laurence. Quand je lui annonçai, par téléphone, que j'étais en uniforme et occupé à boucler mes cantines, elle fut d'abord presque une minute sans prononcer un mot; puis elle dit quelques vagues et banales paroles, d'une voix qui tremblait de souffrance et, je crois, de colère. Quelques heures plus tard, c'est elle qui m'appela; sa voix était redevenue ferme et calme. « Gilbert, me dit-elle, je veux absolument vous voir, seul, avant votre départ; j'ai le droit de l'exiger. Je vous attends chez moi quand vous voudrez. » Impossible d'éluder ce rendez-vous, et une scène que je présumais redoutable. Je promis de passer rue de Seine le lendemain, à une heure où je savais François retenu à sa librairie.

En entrant dans le salon de Laurence, je fus frappé par le masque défait et glacé de son visage, et par son air de lassitude. Mais, dès les premiers mots échangés, je la trouvai telle que je l'avais connue au beau début de notre amitié : clairvoyante, sûre de son jugement et de son vouloir. L'amoureuse exaltée, qui m'avait quelquefois causé une espèce de peur, paraissait terrassée par une autre femme, aimante encore et souffrante, mais dans une région plus haute et pacifiée d'elle-même. Comme j'essayai de mettre en avant les motifs patriotiques de mon départ : « Non, Gilbert, m'interrompit-elle, ne vous donnez pas tant de peine pour me cacher la vérité, ou pour en fausser les perspectives à vos propres yeux. Il est possible que ces nobles raisons aient pesé de quelque poids dans votre détermination de partir. Mais vous savez bien qu'elles ne sont pas les seules, ni mêmes les premières. Vous partez pour me fuir — non, ne protestez pas! Je dis que vous me fuyez, je ne dis pas que vous ne m'aimez plus. Si vous ne m'aimiez plus du tout, sans doute ne prendriez-vous pas un si grand détour pour séparer dignement nos routes... Ce que vous faites pour épargner mon amour-propre, croyez que je le vois, et que je vous en suis reconnaissante, puisque vous y risquez votre vie. Mais sachez aussi que je ne suis pas dupe. Et ne le soyez pas, vous non plus. »

Que pouvais-je répondre? Que pouvais-je faire sinon lui avouer qu'elle avait vu juste? Je la suppliai de ne pas m'en vouloir quand je cherchais dans l'honneur une rupture inévitable : il était certain désormais que nos voies ne pouvaient plus se mêler sans compromettre l'ordre autour de nous, et sans nous contraindre à beaucoup de déloyauté, envers les autres et envers nous-mêmes. « — Vous avez raison, me dit-elle, et c'est justement ce que je pourrais vous reprocher : vous raisonnez. Tout cela n'était-il pas vrai il y a six mois, il y a un mois, comme aujourd'hui? Si vous entendez maintenant la sagesse, l'honneur et toutes les belles voix qui n'ont cessé en parler de vous, n'est-ce pas parce que l'amour parle moins haut? » Je l'assurai de la fidélité de mon cœur; oui, je voulais retrouver un équilibre de ma vie morale où l'affection que j'avais pour elle garderait sa place et sa force. — « Nous avons eu tort, disais-je, d'aller plus loin que l'amitié. Mais l'absence, nettoyant nos cœurs, nous permettra peut-être d'y revenir. L'amitié, Laurence, avec cette précieuse goutte de tendresse qui la colore quand s'y mêle le souvenir d'un amour total et d'un renoncement consenti. » Elle eut un sourire amer en me disant : « Je veux bien essayer de croire ce que vous-même vous ne croyez pas. » Et, devenant plus grave : « D'ailleurs, Gilbert, vous vous faites une bien flatteuse illusion si vous supposez qu'entre nous la pièce se joue sur le sentiment, et qu'elle va se dénouer en mélancolies raffinées, en pathétique abstrait et bientôt en souvenirs délicieux. Nous avons été beaucoup plus loin que l'amitié, mon cher, et nous avons engagé dans l'aventure trop de notre être corporel pour qu'il nous soit permis d'en sortir indemnes, par un saut dans le bleu. Vous m'avez confié une sorte d'intérim, vous avez fait de moi votre maîtresse parce que vous étiez éloigné et fatigué de votre femme; aujourd'hui, vous vous détournez de moi parce qu'elle a repris vos sens, et parce que votre cœur a suivi; et, pour finir, vous m'abandonnez en vous couvrant d'un prétexte héroïque : j'ai la générosité de tout vous pardonner. Mais je n'ai pas celle de vous offrir la paix que vous souhaitez, en vous laissant ignorer ce qui prolonge la conséquence et la responsabilité de vos actes. J'ai le droit, j'ai même le devoir de vous en faire l'aveu : je suis enceinte; dans six mois, j'aurai un enfant de vous. »

Sur le coup, je perdis contenance et laissai échapper une exclamation maladroite : — « Quoi! Laurence. En êtes-vous bien sûre? » — « Hélas! Gilbert, je n'ai pas de doute. N'en ayez pas non plus. Vous avez eu la délicatesse de ne jamais m'interroger sur ma vie conjugale. Si je vous dis que l'enfant que je porte est de vous, faites-moi l'honneur de me croire. »

Un lourd et long silence suivit, et je ne trouvai pas de mot qui convînt à le rompre. Un instant, me penchant vers Laurence, j'approchai ma main de la sienne; mais, comme si nous avions senti en même temps ce que cet élan sentimental avait de banal et de choquant, elle retira sa main avant que je l'eusse touchée. Cependant, je me trouvais assez près d'elle pour voir frémir le coin de sa bouche, et je surpris même entre ses tempes blêmies et l'orage sans larmes de ses yeux, les premières rides de l'âge, approfondies par l'insomnie et la fatigue. C'est elle qui recommença de parler.

« — Ne croyez pas, Gilbert, qu'en vous faisant cet aveu je cherche à exercer un chantage indigne. J'ai voulu seulement ne plus être seule à porter un secret si pesant, et vous ouvrir la porte d'une souffrance qui nous fût commune. Mais rien n'est changé aux raisons qui justifient notre séparation : dès l'instant où elles vous ont paru fortes, elles l'étaient en effet. Allez-vous-en, comme vous l'avez voulu, et soyez tranquille : j'élèverai votre enfant; je ne le haïrai pas; je ne le regarderai pas à travers mon chagrin et ma rancune, mais à travers mon amour. Car vous restez mon amour... » Cette fois, j'osai l'attirer auprès de moi, je forçai sa tête à reposer sur mon épaule, et je caressai en silence ses cheveux lisse et son grand front. Une question brûlait mes lèvres, que je murmurai enfin : « Et François ? » — « Rassurez-vous aussi sur ce point, me dit-elle, François pourra se croire le père de mon enfant. » Alors m'apparut le caractère le plus ignoble de l'adultère, et je rougis; elle aussi, légèrement; mais, dans un retour d'énergie, elle se redressa et, me tendant les deux mains : « Allons, mon vieux, ne nous attendrissons pas; ce serait inutile et ridicule. Puisque vous devez partir, partez bien. » — « Laurence, lui dis-je, ma pauvre Laurence, qu'avons-nous fait! » — « Une bêtise. Oui, ce n'est malheureusement rien de plus : une bêtise. Vous qui aimez le sublime, comme vous allez être dégoûté quand vous penserez à notre histoire! Elle en est affreusement vide... » Elle se forçait à l'ironie, au détachement de l'esprit qui pèse et juge les misères du cœur. Mais sa lèvre tremblait toujours, et maintenant une larme glissait sur sa joue. J'avais honte, car je sentais qu'entre nous la partie n'était pas égale; il me restait mon foyer, mes tâches et mes devoirs d'homme, appuis austères mais solides contre le chagrin; elle souffrait plus que moi; elle était vouée à subir, plus douloureuse et plus longue, dans sa chair d'abord et puis dans tous les moments de sa vie, la peine de notre faute. Elle dont j'avais aimé les grâces rudes et la force, je la voyais vaincue et humiliée. Et je ne pouvais rien faire, rien dire qui ne sonnât faux et cruel entre nous. Heureusement, je partais pour la guerre, et l'uniforme que je portais, le risque de la mort que j'avais choisi donnaient un peu de noblesse à cette pauvre scène manquée, et de la gravité à nos silences.

« — Si je reviens, lui dis-je enfin, je vous aiderai, Laurence; mon amitié veillera sur vous et sur cet enfant. » — « Embrassez-moi, dit-elle, et allez-vous-en. » Je l'étreignis, et le dernier baiser qu'elle reçut de moi fut, je crois, le plus tendre et le plus sincère.

IV

Le 3 décembre.

Quand nous avons eu le malheur de nous montrer faibles ou lâches, c'est pratiquer une bonne morale que de préférer à un désespoir passif ce pouvoir de rebondissement, ce surcroît d'énergie et de volonté qui naît du sentiment de la faute. Si je me suis assez bien tenu pendant les deux dernières années de guerre, je le dois pour une part à la crise que je venais de traverser. Ma conscience me faisait si mal, tant d'impressions douloureuses me poignaient dès que je m'abandonnais à moi-même, qu'il me devenait facile et presque nécessaire de me jeter dans les fatigues et dans les périls. D'ailleurs, une certaine intensité dramatique des passions, loin de nous rattacher égoïstement à la vie, nous transporte au contraire au-dessus d'elle et nous inspire pour elle cette sorte de mépris sans quoi l'on ne fait rien de grand. Non que je me sois couvert de gloire : les circonstances n'ont exigé de moi que des services obscurs et ne m'ont pas mis en posture de héros devant les hommes. Du moins puis-je me rendre cette justice que j'ai fait avec exactitude, et parfois avec générosité, ce qui fut alors mon devoir; j'ai affronté la mort, supporté les intempéries et la faim, aidé mes camarades, commandé et servi mes hommes dans un style correct.

Je fus trente mois absent de France; et c'est, je pense, cette dure époque qui a mûri tout à fait ma personnalité, C'est par l'expérience du danger et de la douleur physique. par le contact fraternel avec les peines de la foule et par le retour brutal à l'élémentaire humain que j'ai dégagé la forme de mon caractère, purgé et assuré ma pensée, éprouvé mes idées et mes principes. Le jour où, par exemple, en retraite dans les montagnes de Serbie, au plus noir de l'hiver et de la famine, j'ai commencé à me battre avec un camarade pour une pomme de terre trouvée à la porte d'une cave, j'ai compris deux choses essentielles : d'abord, que la croûte de culture morale, dont nous sommes si fiers, est bien mince et friable, puisque le brute apparaît si tôt dans le civilisé; et puis, que cette politesse acquise demeure néanmoins un bien très précieux, qui doit être soigné et sauvé, et même une force non négligeable, puisque ce jour-là, nous étant reconnus soudain comme deux hommes, nous avions eu honte de notre premier mouvement et finalement partagé notre maigre pitance. Un peu plus tard, derrière le front de Macédoine, dans l'air torride et puant d'une baraque de planches, ruiné de dysenterie et de fièvre, je me suis vu, un soir, au bord de l'agonie; alors, éprouvant le désespoir de mourir, je faisais un effort douloureux pour soulever le plomb de mes paupières, pour ne rien laisser perdre de ce dernier filet d'une clarté, pourtant cruelle, que je croyais ne plus revoir au bout de la nuit qui tombait : c'est que je venais de comprendre que le bonheur existe, qu'il est à portée de notre main, et que la vie, décevante si nous lui demandons trop, est pleine de dons qu'il faut accueillir d'un cœur simple — la beauté du ciel, le sourire d'un enfant, le baiser d'une femme, la joie de l'ouvrage accompli, la fierté de l'œuvre créée.

Oui, j'ai rapporté de la guerre une philosophie non pas originale et transcendante, mais ferme et qui a suffi à me conduire. Elle est née d'un besoin profond d'organisation et d'harmonie, qui tient sans doute, plus encore qu'à mon tempérament, à ma culture humaniste et à mon éducation catholique. Besoin qui s'est exaspéré par le spectacle du désordre humain où je fus roulé.

Le chaos nous enveloppe, mais l'ordre est possible : voilà d'où il faut toujours partir si l'on prétend vivre moralement. Trop sceptique pour vouloir faire entrer tout le monde et tout l'homme dans un système, je me suis rattaché modestement à quelques certitudes fragmentaires qui, dans le cercle où j'étais destiné à vivre et à travailler, pouvaient faire de moi un créateur d'ordre. Ces certitudes, je les ai découvertes le plus souvent à l'intersection de deux paysages d'idées : le plan de la morale chrétienne, défini par le Décalogue et l'Évangile, et le plan de la sagesse naturelle, telle que l'ont conçue, depuis les Grecs, les instituteurs laïques de l'Europe. Mettons que je sois devenu ce que Denis appelait, avec un égal mépris un « honnête homme » et un « humaniste chrétien » : c'est un état qui, je le sais, n'a rien de sublime, il nous expose à nous acclimater trop doucement aux erreurs de la conscience sociale, aux injustices couvertes par la loi ou par la coutume. Le saint, le briseur d'idoles, le révolutionnaire font plus grande figure. Du moins, c'est quelque chose, là où nous sommes, de vivre raisonnablement, en nous efforçant, devant chaque problème posé par l'existence, de choisir l'acte qui accroisse l'homme, ou qui fasse les moindres dégâts en nous et autour de nous.

Ce n'était pas là une option abstraite, mais une résolution pour le temps qui me restait à vivre. Je rentrais dans la paix avec le souci de construire solidement mon foyer, de servir utilement mon pays et, par un égoïsme intelligent, de développer avec méthode mes talents et ma culture. Et même, je ne trouvais pas vil de nourrir en moi cette passion forte : l'ambition, à condition de n'accepter d'elle que l'élan et le ton, en la dominant toujours par un esprit critique assez vif pour mépriser les plus hauts objets de sa poursuite et ne jamais m'avilir à souffrir d'une déception. Je me sentais donc en possession de mon être, et appuyé à une morale cohérente. Mais je rougirais si j'avais pu m'en satisfaire absolument, si je n'avais gardé les yeux bien ouverts sur la condition risquée de l'homme, et conservé au fond de moi l'essence d'inquiétude sans laquelle la sagesse la plus saine tourne en présomption stérile. Jamais je n'ai laissé de mesurer la faiblesse de l'intelligence comme institutrice du cœur, la pesée des complexes obscurs sur la conscience apparemment la plus claire, l'inféodation de notre liberté morale à nos humeurs corporelles. Jamais je ne me suis fait d'illusions sur ma vertu : j'ai vu que l'empire de la volonté y tenait presque toujours une moindre place que l'amortissement des désirs. J'ai cru à l'esprit, je l'ai cultivé, mais en sachant ce qu'il était dans l'homme : un petit feu précaire et tremblant, plus précieux que la vie dont mystérieusement il émane, mais perpétuellement remis en question par ce qui fermente en elle, par ce qu'elle exhale et par ce qu'elle inspire.

Seulement, il n'y a pas que les idées, il y a les êtres. Les idées, on les corrige, on les arrange, on les met plus ou moins ingénieusement en équation. Les êtres sont moins obéissants et moins souples. Ils se mêlent un moment à notre vie et, parce que nous les en avons repoussés, nous croyons qu'ils vont nous laisser tranquilles; mais ils continuent d'exister en dehors de nous; ils prolongent nos responsabilités au-delà de nos actes, nos fautes au-delà de nos repentirs, nos amours au-delà de nos lassitudes. Parfois, nous voudrions bien que notre passé s'abolît pour assainir notre présent; et nous réussissons à le tuer en nous; mais il refuse de mourir dans les autres. Dans ma paix intérieure reconquise, il demeurait à jamais la fissure d'un remords : Laurence et notre enfant.

Pendant mes années de campagne, pour ne pas avoir l'air de rompre sans raison une intimité de deux années, j'avais donné assez fréquemment de mes nouvelles aux Van Smeevorde; j'affectais de leur écrire collectivement : *Mes chers cousins...*, et ce fut toujours François qui me répondit, Laurence ajoutant quelques banalités affectueuses. Je ne reçus d'elle qu'une lettre personnelle : six mois après mon départ, elle m'annonçait la naissance de Denis. « *Vous ne me répondrez pas,* m'écrivait-elle; *vous ne me direz pas quels sentiments cette nouvelle excite en vous. Je ne veux pas croire qu'elle vous laisse indifférent, qu'elle ne vous touche pas en un point vivant de votre sensibilité. Ou plutôt, je veux penser qu'un dernier élan de tendresse viendra silencieusement de vous vers moi, et que vous aurez quelquefois pour ce petit être un mouvement de coupable affection.* » En m'adressant, cette fois, à Laurence seule, mais de telle sorte que la lettre pût être lue par François, j'écrivis quelques pages abominablement contraintes et menteuses, où j'essayais d'exprimer entre les lignes une gratitude émue que je ressentais mal. En vérité, le souvenir de mon amour m'était à charge, mon amitié se refroidissait, et je n'éprouvais plus guère que de la pitié pour cette femme, qui m'avait plu d'abord parce que justement elle ne semblait point en appeler. Quant à cet enfant, que je n'avais pas désiré et qui venait au jour comme l'incarnation de ma faute et ma durable punition, je ne l'aimais pas, je ne supposais pas encore que je pourrais l'aimer.

Un peu plus tard, au cours de l'année 1918, François m'avait annoncé son prochain départ de Paris. Ses affaires allaient fort mal depuis la guerre, et sa santé donnait des inquiétudes. Les médecins lui conseillaient l'air de la montagne et le repos. Son fonds vendu, il loua un chalet en Dauphiné où, sur ses maigres revenus, il comptait mener une existence rustique avec sa femme et les deux enfants. « *Laurence,* m'écrivait-il, *s'est bien faite à ce projet. Elle aussi a grand besoin de calme, la vie de Paris épuise ses nerfs. Elle compte, dans notre retraite, pouvoir lire et écrire. Moi-même, j'ai rassemblé les documents d'une étude sur l'esthétique du livre, que je pourrai peut-être mener à bout.* » Ainsi, quand, à mon retour, je m'arrêtai à Paris, je n'y trouvai plus les Van Smeevorde. Rien ne m'aurait été plus facile que d'aller les voir au Bourg d'Oisans; l'idée d'un voyage en Dauphiné ne déplaisait pas à Irène; François nous avait invités, et Laurence avait insisté avec une force discrète qui cachait mal son impatience de me revoir. J'étais, quant à moi, fort partagé. Le plaisir de causer avec François, la curiosité de connaître mon fils, l'émotion de retrouver Laurence, le scrupule enfin de ne pas la blesser par un refus qui signifiât la détermination d'une absence définitive, me poussaient vers eux. Mais aussi, je redoutais la fausseté cruelle de la situation, et je ne voulais pas, à la faveur d'un attendrissement amical, un replâtrage de notre amour. Je me disais que, pour le plan de vie que j'avais concerté, il était plus sage d'accuser la rupture, et plus prudent de ne pas m'exposer à un retour de flamme. J'éludai donc l'invitation sous des prétextes polis. Quand aujourd'hui je songe à cette fuite, je n'en suis pas tellement fier, car elle manquait d'élégance, et il y entrait plus d'égoïsme que de vertu; j'aurais dû être assez fort et me sentir assez sûr de moi pour me défendre de Laurence en lui épargnant l'offense de la chasser tout à fait de ma vie. Mais enfin, tel fut mon parti; et comme, peu de mois après ma démobilisation, j'acceptai un poste de conseiller d'ambassade à Vienne, puis à Varsovie, et que pendant cinq ans je fus presque toujours hors de France, la séparation se prolongea et s'approfondit entre nous. Ma correspondance avec mes cousins se fit plus rare et plus banale; le temps et l'espace élargirent la zone de sécurité qui me protégeait, pensais-je, de mon passé redoutable.

Nos années d'Autriche et de Pologne, Annou, tu peux t'en souvenir. Je crois qu'elles furent heureuses pour la petite fille charmante que tu étais devenue : si sage, si docile et presque trop grave, comme si ta grâce te venait déjà d'une source plus secrète et plus essentielle que l'innocence de l'enfant. Moi aussi, j'étais heureux, autant du moins que je pouvais l'être. Jamais la paix de mon foyer n'a été meilleure que pendant ce confortable exil. J'avais retrouvé Irène dans la belle saison d'une jeunesse éclatante; l'âge, les épreuves, les responsabilités l'avaient rendue plus femme, et lui donnaient un charme de maturité qui la rapprochait de moi; mais elle n'avait rien perdu de cette douceur, de cette plasticité d'âme qui la mettait toujours de plain-pied en toute chose, et qui faisait d'elle la jeune mère souriante et joueuse que tu adorais comme une grande sœur — en attendant les temps plus dramatiques où ce fut toi, Annou, qui la dominais de cette sorte d'aînesse morale que te donnait ton cœur pur, et qui essayais de la sauver. D'ailleurs, le genre d'existence que nous menions lui plaisait; elle avait le goût du monde et elle y brillait; charmante et courtisée, elle gardait une attitude parfaite de coquetterie gracieuse, qui attirait les hommages en ne laissant aucun doute sur l'honnêteté de ses intentions. Elle m'aimait, et nous formions ce qu'on est convenu d'appeler un bon ménage. Il eût été excellent si je n'avais dû, toujours, secrètement reprocher à ma femme une certaine légèreté d'esprit, une indifférence à ma vie profonde; j'y répondais en accentuant l'inclination de mon caractère à la fermeture, au recueillement morose, et je me retranchais davantage dans mes landes. Oui, trop d'absence et trop de silence entre nous; même sur une mer calme et dans un beau jour, il est funeste de naviguer sous ces flammes noires.

Je dois dire aussi que je n'aimais pas beaucoup mon métier; il m'amusait mais, justement, je n'y voyais qu'un jeu dont la futilité me donnait parfois la nausée. Le maréchal ferrant de mon village, quand il a ferré une paire de bœufs, est au moins certain d'avoir servi à quelque chose et bien gagné son argent; mais moi, quand j'avais, comme ont dit, représenté mon pays à une exposition de peinture, échangé avec mon collègue anglais ou allemand trois phrases circonspectes et fourni un rapport dont je savais qu'il irait se perdre, inutile, dans les archives de quelque bureau (à moins qu'il ne fournît, dans le meilleur cas, un argument à un ministre dans une discussion d'où il ne sortirait que du vent), j'étais pertinemment convaincu que je n'avais rien fait : tout au plus, joué un rôle dans une comédie sans autre signification que celle que lui prêtaient, par une fiction intéressée, ses auteurs et ses acteurs. Les honneurs et les profits de la société vont habituellement à des personnages officiels, qui ont l'air de conduire les événements parce qu'ils se mettent en uniforme pour les regarder passer; je n'ai jamais pu, hélas! entrer dans cette flatteuse illusion. C'est pourquoi je me suis peu à peu éloigné de Saint-Philippe. Il a cru que j'étais jaloux de sa brillante carrière; peut-être, en quelque repli mauvais de mon cœur; mais je fus surtout effrayé de voir comment un homme de qualité peut se vider de lui-même dans un costume, se perdre par son importance, se laisser étouffer par la sédimentation des préjugés, des conventions d'un milieu et des tics d'une profession. J'avais d'ailleurs peu d'amis : l'affabilité, qui m'était partout reconnue, n'était pas tant un appel aux contacts humains qu'une méthode polie pour les glacer. Ce fut mon plus grave défaut de cœur : non de haïr les hommes, car je leur veux du bien, mais de ne point assez les aimer. Trop souvent ils me sont des objets avec lesquels j'entretiens des rapports délicats, ou des idées que je considère avec une complaisance minutieuse; mais trop rarement des personnes avec qui j'entre en communion d'existence. Bardé de correction et parfois, quand les circonstances y prêtent, débordant de gentillesse, je vis, tout compte fait, dans une solitude assez abrupte, où j'ai hâte de me retrancher après des sorties prudentes, et où je dois m'avouer que je ne m'ennuie point trop. Beaucoup de mes insuccès et de mes malheurs sont venus de là, ont santionné cette sécheresse. Mais qu'y pouvais-je faire ? C'est, comme l'insuffisance mitrale, une faiblesse de complexion avec laquelle il faut bien vivre et mourir.

Ce fut dans l'été 1925, au cours d'un congé passé en France, que je revis Laurence et fis la connaissance de Denis. A cette époque, les Van Smeevorde avaient quitté le Dauphiné et habitaient une maison de campagne sur la côte boulonnaise, au bord de la forêt d'Hardelot; François, son petit capital rongé par la dévalorisation de l'argent, avait dû se résoudre, par mesure d'économie, à utiliser toute l'année ce pied-à-terre de vacances, hérité de ses parents. Quant à la grande villa d'Hardelot, mon grand-père, décédé pendant la guerre, l'avait laissée indivise entre ses petits-enfants; une part m'en revenait, dont je n'avais jamais profité, bien que, chaque année, les frères de François, qui l'occupaient pendant les mois d'été, eussent insisté pour nous y faire une place. En 1925, j'acceptai enfin l'invitation; tu avais besoin de l'air de la mer, Irène désirait quelques semaines de plage; je n'aurais eu aucune bonne raison pour justifier un refus. Je savais que je serais à quatre kilomètres de Laurence, exposé à la voir quotidiennement; mais, cette fois, mon passé me semblait assez décollé de moi pour n'être plus à craindre. Bien mieux, je me sentais un devoir formel à me rapprocher de cette femme, dont je devinais l'existence pénible et que je voulais aider. En effet, quelque temps auparavant, Saint-Philippe m'avait écrit qu'il avait reçu à Paris la visite de « cette belle cousine sombre » à laquelle je l'avais présenté autrefois; elle sollicitait de lui une recommandation (qu'elle aurait très bien pu me demander) pour faire des traductions de romans étrangers chez un éditeur parisien; j'en avais conclu que la gêne régnait dans le ménage, et que Laurence mettait sa fierté à ne pas m'appeler à son secours. La pensée que l'éducation de Denis pesait sur elle et sur François m'était fort pénible; mais comment y subvenir? Pour en trouver l'occasion et le moyen, il fallait renouer mon intimité avec eux et juger exactement de leur situation.

Et puis, je dois te l'avouer, Annou, une grande envie m'était venue de connaître mon fils. L'instinct paternel éveillé en moi, j'avais cru d'abord que l'immense affection que je te portais me suffirait, me dispenserait de souffrir de n'avoir pas d'autres enfants; mais, à mesure que j'avançais en âge, un regret pesait sur mes jours. Pour aussi fort qu'il fût devenu, quelque chose manquait à mon amour conjugal : le respect charnel de l'homme pour la femme qui enfante, la communion au risque et au mystère de la vie. Je ne connaîtrais donc plus, dans l'amour, l'exaltation de vaincre la mort, d'éterniser le feu d'une minute par la création d'une nouvelle durée vivante, lourde elle-même d'une chance immortelle. Il arrivait que la splendeur stérile d'Irène m'inspirât une sorte de répulsion, une colère du sang; quelque chose de profond en moi lui en voulait de ne pouvoir me donner encore un être qui prolongeât le mien, qui recommençât avec de meilleures cartes la partie du bonheur et de la grandeur, que je croyais avoir perdue, que l'homme finit toujours par perdre, mais qu'il ne se lasse pas de vouloir jouer, par lui ou par ses enfants, parce qu'il sait bien qu'elle est la seule chose importante sous le ciel. C'est alors que ma pensée se tournait vers Denis. Car enfin, ce petit garçon dont trois mauvaises photos, envoyées par Laurence, m'avaient révélé l'indiscrète ressemblance avec moi, c'était mon fils, une vie sortie de la mienne et que je pourrais soutenir, diriger, aider à s'épanouir et à monter vers les sommets de joie, de puissance et de vertu qui m'étaient interdits; à moins qu'il ne dût tomber dans des abîmes de souffrance et de bassesse où j'aurais le plaisir amer de le relever, de soigner ses plaies, de le rendre à l'espérance et à la dignité — d'être son père, en un mot.

J'étais donc plus ému que je n'osais me l'avouer, dans la lumière bleuie du matin de juillet où, traversant à pied la forêt, j'allais voir mes cousins à Condette. Ils habitaient, en dehors du village et à l'orée d'une large clairière marécageuse, une ancienne ferme, longue et sans étage, aménagée simplement; la barrière blanche le long du routin, la pelouse petite mais soignée, les géraniums en bordure des murs et les liserons qui encadraient les deux portes égayaient la maison et lui donnaient un air gracieux de cottage. J'avais annoncé ma visite, mais, comme je ne souhaitais à cette entrevue aucune présence étrangère, j'arrivai de bonne heure, avant d'être attendu. Le carillon du petit portail ne dérangea personne, je traversai le jardin et pénétrai dans une pièce basse qui devait servir de salle à manger : les quatre bols du déjeuner traînaient encore sur la table. J'appelai, la porte de la cuisine s'ouvrit, et je vis paraître Laurence. Sa vue me bouleversa, mais non comme j'aurais pu le craindre : j'avais devant moi une vieille femme. La quarantaine la marquait durement; elle avait maigri et jauni, ses traits étaient tirés, ses yeux battus; ses cheveux d'Espagnole, salis de mèches grises, avaient perdu leur éclat; occupée sans doute à des travaux domestiques, les pieds nus dans des espadrilles poussiéreuses, elle serrait sa longue taille étroite dans un sarrau de ménagère. Ma poignante surprise ne lui échappa point, car elle me dit d'abord : « Eh! oui, Gilbert, c'est moi... » — et comme je m'approchais d'elle : « Embrassez mon front; c'est tout ce qui me reste de beau. » — « Neuf années ont passé, lui dis-je en serrant ses deux mains; le temps n'épargne personne. » — « Si, Gilbert, il épargne quelquefois les gens heureux. Vous n'avez pas changé, vous », me dit-elle en m'enveloppant d'un beau regard, intelligent et tendre, qui revint du fond d'elle-même, et que je reconnus. Elle ajouta : « Je veux dire : vous n'avez pas vieilli... Venez voir François et Denis. »

Elle ouvrit la porte du salon; assis devant la table, François feuilletait un atlas céleste, et Denis, collé à ses genoux, suivait ses explications avec un étrange intérêt. C'était un charmant petit dieu, vigoureux et mince; la coupe de son visage, l'enracinement un peu bas de cheveux épais et droits accusaient à un degré que je n'imaginais pas sa ressemblance avec mes portraits d'enfant; mais il tenait de sa mère, moins immenses et aussi vifs, les yeux de nuit et de feu. François, en me voyant entrer, se leva et, lui aussi, me fit peine : c'était un vieil homme malade, plus maigre et plus voûté qu'autrefois, le visage raviné de rides, le regard éteint et grave derrière les fortes lunettes rondes qu'il portait maintenant. — « Vous voyez, me dit Laurence, la nouvelle passion de François : la cosmographie. Et les passions de François deviennent toujours celles de Denis : le père et le fils ne se quittent jamais. » Puis, prenant l'enfant par la main : « Denis, viens embrasser l'oncle Gilbert... Il vous connaît fort bien, ajouta-t-elle, mais vous l'intimidez; vous comprenez, le grand homme de la famille, qui va de capitale en capitale discuter le sort du monde avec les ministres et les rois... » Je la suppliai de m'épargner l'ironie, et j'attirai à moi le garçon pour l'embrasser; mais j'eus la sensation qu'il se défendait, qu'il me considérait avec une curiosité hostile. Je lui montrai un livre illustré que je lui avais apporté de Pologne; il n'y prêta guère attention, le posa bientôt sur la table et se remit à feuilleter l'atlas céleste dans un silence boudeur. Il me refusait; il me refuserait peut-être toujours; et pourtant, dès la première minute, j'avais senti, par un choc d'une mystérieuse violence, qu'un être venait d'entrer dans ma vie — quelqu'un qui ne permettrait plus que je fusse ce que j'étais avant lui, qui orienterait désormais tous les mouvements de mon âme, et de qui je devais attendre joie ou douleur, je n'en savais rien, du moins l'épreuve décisive de moi-même.

Cette première visite me laissa une impression désolante, que notre intimité des semaines suivantes précisa et accentua. Tantôt à Condette, où je retournais le plus souvent possible auprès de François, tantôt sur la plage d'Hardelot, où Laurence nous rejoignait quelquefois avec ses enfants, j'eus le loisir d'observer ces malheureux cousins, de pénétrer leurs chagrins et leurs drames. François allait atteindre l'âge critique auquel son père et deux de ses oncles étaient prématurément décédés, enlevés par une angine de poitrine; il en présentait les premiers symptômes, et l'idée de la mort l'obsédait. Bien que la vie ne lui eût guère été douce, il l'aimait, il tenait à la part de bonheur sage qu'il avait su se construire; il adorait Laurence et les enfants (je notai qu'il disait toujours « *les* enfants »; quand il parlait de Jeanne, il disait « ma fille », et pour Denis, « le petit »). L'avenir de ceux qu'il abandonnerait l'inquiétait; et déjà le présent; car sa situation financière, par suite d'une gestion hasardeuse et trop désintéressée, était pire que je ne l'imaginais; je compris qu'il en était réduit aux aumônes de ses frères.

Laurence le soignait assez bien, mais elle ne lui avait pas encore pardonné d'exister, et ces deux êtres, contraints de vivre tout proches l'un de l'autre, continuaient à se déchirer par chacun de leurs gestes. Quant à la naissance de Denis, je supposais qu'il n'avait jamais été dupe, et qu'elle savait qu'il ne l'était pas; et sans doute était-ce le dernier lien qui tenait entre eux : ce silence affreux et prudent, cette complicité de restrictions mentales pour qu'un enfant innocent n'eût pas à pâtir.

Chez Laurence, ce qui dominait, c'était tantôt la révolte, tantôt une résignation passive et fataliste. Exténuée et dégoûtée par sa plate existence, elle mettait son reste d'énergie à camoufler sa défaite, à conserver à son foyer un semblant de confort et de fantaisie; mais elle s'était usée à cette lutte, et déjà je sentais qu'elle perdait pied. Quelque temps, elle s'était raccrochée à des ambitions littéraires : elle avait écrit un roman où, sans doute, elle poétisait son histoire et fixait d'elle-même une image ennoblie. Comme tant d'autres, qui croient avoir fait une œuvre nécessaire et belle parce qu'ils ont ramassé dans un cahier d'écolier leurs rêves morts et leurs amours malheureuses, elle en avait été quitte pour aller reprendre son manuscrit chez quelques éditeurs polis et froids, qui avaient peine à le retrouver dans la pile de tant d'autres chefs-d'œuvre illusoires, touchants et condamnés : car le talent aussi est une élection, et la sincérité ne justifie que quelques-uns. Laurence avait donc manqué cette dernière chance de s'évader du médiocre : réussir une œuvre d'art avec le récit d'un échec. Cet été-là, elle avait encore le courage de faire, pour un peu d'argent, des besognes —

lectures de manuscrits, corrections d'épreuves, traductions d'articles — mais, m'avouait-elle, « je ne comprends plus, souvent, ce que je lis, les idées sont trop loin de moi, les mots me sont comme une pâtée insipide qui me donne envie de vomir. J'ai l'impression de me laisser tomber de mon esprit ». Alors, elle fermait ses cahiers et ses livres, s'étendait sur son lit, ouvrait un paquet de cigarettes, et elle fumait, des journées entières, morne et prostrée, tandis que François et les enfants attendaient un dîner qui ne viendrait souvent qu'à dix heures du soir.

Jeanne, qui était devenue une jeune fille, rendait à sa mère en haine méprisante l'indifférence que celle-ci lui avait toujours marquée. Elle détestait aussi son frère : peut-être se doutait-elle de quelque chose. Tu te souviens, je pense, de ta cousine : brunette sans grâces, aigrie et jalouse. Obligée de gagner sa vie et n'ayant pu achever des études, elle allait avoir, par l'entremise de ses oncles, une place de vendeuse dans un magasin de la rue de la Paix. Et tu te souviens aussi de Denis : quel intraitable enfant il était, sournois, buté, brutal, et cependant séduisant par une sensibilité et une intelligence extraordinaires, « effrayantes », disait sa mère avec une sombre fierté. Elle le chérissait passionnément, et il avait sûrement de l'affection pour elle; mais leurs deux natures, également violentes et hautaines, se heurtaient souvent, et il était la plupart du temps en rébellion devant elle. Pour sa sœur, il se montrait franchement méchant. Il ne frayait guère avec les garçons de son âge, sinon avec ceux qu'il rencontrait dans la rue, de préférence les plus déguenillés et les plus misérables : il les formait en bande et organisait dans les jardins et dans les fermes des expéditions de chapardage dont il mettait son honneur à leur laisser tout le profit. « Ce sont mes gars, disait-il avec un sérieux dont nous avions tort de sourire; je les nourris. » Mais sa grande affection, c'était François — *Paçois,* comme il l'appelait, en consacrant par l'usage l'abréviation de « Papa François », formule de Laurence avait insidieusement imposée. C'est François qui faisait, avec une certaine fantaisie mais d'étonnants résultats, son instruction; c'est sa conversation et sa compagnie que l'enfant préférait à tous les jeux et à tous les camarades. Les quelques sorties dont François se sentait encore capable, il les réservait à des promenades avec Denis; on les voyait, le grand vieil homme au long pas mou et le petit garçon piaffant et nerveux, dans la forêt ou sur la plage, ramassant et classant toutes les richesses que leur offrait la nature : champignons, fleurs, fruits sauvages, algues, papillons, coquillages ou pierres. Ou bien, assis à l'ombre d'un pin, dans la dune ou sur la plage, François faisait à Denis des récits d'histoire, ou lui lisait des romans et des poèmes. Et jamais il ne se lassait, lui qui sentait sur ses talons le pas de la mort, d'éveiller cette âme fraîche et bondissante à la connaissance et à l'amour de l'univers; et jamais l'enfant ne lui refusait son attention, même quand il l'entraînait à des pensées ou à des sentiments au-dessus de son âge; jamais ce petit garçon, égoïste et durci avec les autres, ne lui causait la moindre peine, prenant soin, au contraire, de lui épargner une fatigue, portant la giberne quand elle était alourdie de leurs trouvailles, et refrénant sa fougue de jeune chien quand il apercevait sur le visage de Paçois une pâleur terreuse et les traces d'une mauvaise sueur. C'est surtout par Laurence que je connaissais leur intimité, François évitant de me parler de Denis; mais il suffisait de les voir ensemble pour sentir la force et la qualité de leur exigente, apaisante, imprévisible amitié.

Avec moi, durant toute cette saison, Denis, quoi que je fisse, ne se départit jamais de la réserve antipathique où il s'était barricadé dès notre première rencontre. Toi, Annou, tu lui imposais par ta gravité gentille une sorte de respect : les insolences, les brutalités qu'il dispensait généreusement à la troupe de ses cousins et cousines, il te les épargnait toujours; il avait même pour toi des attentions, t'apportant ses plus rares coquillages, marchant avec toi quand les plus grands te lâchaient. Mais, ce qui me parut curieux et encore inattendu ce fut la fascination qu'exerça sur lui le charme d'Irène. Devant elle aussi, son premier mouvement fut de malveillance : retrait de son corps quand elle voulut l'embrasser, silence maussade quand elle lui posa des questions. L'état de guerre, pourtant, ne devait pas durer : jeune de caractère et de goûts, aimant les jeux, nageant, jouant au tennis, Irène allait beaucoup avec les enfants, et Denis admirait sa force, son adresse, peut-être déjà sa beauté. Le jour où, dans le salon de la villa d'Hardelot, il l'entendit chanter pour la première fois, je fus frappé de la fixité extasiée de son regard : visiblement, ce petit garçon de neuf ans recevait la révélation d'un mystère et d'un plaisir suprême. Irène avait d'ailleurs de la sympathie pour lui et le comblait de faveurs; il y répondait bizarrement, se tenant volontiers, attentif et sourdement jaloux, dans un cercle dont elle était le centre, mais à distance d'elle, comme si une puissance intérieure le retenait encore. Il suffisait, cependant, qu'elle exprimât un ordre ou un désir pour qu'il obéît sans discussion. A la fin du séjour, une complicité affectueuse régnait entre eux deux : elle l'appelait « mon page », et lui, par une déformation peut-être intentionnelle de son nom, « Tante Reine ». Il ne l'a jamais autrement nommée.

De tout ce qui crucifia Laurence pendant ce cruel été, je pense que l'admiration de son fils pour ma jeune femme a été la pointe la plus aiguë. « Voyez, me disait-elle, si petit, et déjà un homme! Il va vers la beauté et vers les images du bonheur. Il est séduit et il veut séduire. Il souffre en secret et il blesse; je ne suis pas certaine que ce soit toujours à son insu. » Pauvre Laurence! quelle gêne j'éprouvais de son humiliation! Seule avec moi, elle me l'avouait presque; devant les autres, elle se protégeait avec une courageuse maladresse, par des attitudes forcées, par une arrogance qui élevait des inimitiés autour d'elle et achevait de l'isoler. Je me rappelle une heure singulièrement pénible. Un soir, au tennis d'Hardelot, nous assistions, dans un groupe assez brillant, à une partie où Irène, comme d'habitude, tenait la vedette. Laurence était assise à côté de moi, trop proche des autres pour qu'il me fût possible d'échanger avec elle un mot intime et de me porter au secours de sa détresse; car je la sentais en détresse. Elle affectait de se désintéresser superbement de ce qui se passait, parlait à voix haute de n'importe quoi, et cherchait à faire des mots ou à décocher des traits; mais l'esprit ne suivait pas, son rire sonnait faux, l'agitation machinale de ses doigts et la furieuse mobilité de ses regards la trahissaient : percée de jalousie. Et comment ne l'eût-elle pas été? Devant elle, cette jolie femme, épanouie dans ses trente ans, adulée, heureuse, et qui dépensait en une danse forte et gracieuse la surabondance de sa joie de vivre — et elle, avec ses cheveux gris et ses rides, ses nerfs malades, sa pauvreté, sa solitude et la perspective de quelle vieillesse, de quelle mort? Le destin avait sévèrement renversé les rôles. Dix ans auparavant, contre Irène trop jeune, souffrante et mal défendue, elle avait été servie par son expérience de femme, par la force et l'éclat de son âge. Aujourd'hui, elle ne pouvait pas se tromper sur la situation; elle voyait bien qu'elle ne me reprendrait plus, si jamais elle en avait gardé l'espoir, et qu'Irène, sans rien faire d'autre que se laisser vivre, avait gagné la partie. Oui, la figure du quadrille avait changé curieusement. Une chose était constante : la pente de mon désir égoïste qui allait fatalement dans le sens de la plus ample respiration, de la plus grande joie...

Annou, qu'est-ce donc que le cœur de l'homme? Ai-je si peu de compassion? Ne puis-je aimer que les être triomphants? Je sens en moi, irrésistible, une force animale qui va vers la vie; mais c'est en me déchirant, car une autre part de moi-même, plus consciente et moins asservie à la chair, a pitié de l'humiliation des vaincus et s'exalte à partager la faiblesse. — Quand je réfléchis à cela, il me semble que je te comprends mieux, et cet élan qui t'a fait chercher, au-dessus des misères des hommes, la voie d'un parfait amour... Nous sommes fiers de la précision de notre langage; et pourtant, n'est-ce pas la pire équivoque de n'avoir que ce mot, *amour,* pour désigner des affections aussi différentes : celle qui nous porte à désirer un être parce qu'il est jeune, beau, auréolé de force et de bonheur, et celle qui nous penche vers lui, à l'heure de sa souffrance, de sa déchéance et de son péril, non pour dominer mais pour nous soumettre, non pour nous enrichir de ce que nous prenons mais de ce que nous donnons? Est-ce donc seulement ce soir-là, isolé avec elle, dans une muette et lucide amertume, hors du bonheur léger de ces hommes et de ces femmes qui s'amusaient comme des enfants, que j'ai vraiment aimé Laurence? Hélas! je ne pouvais me cacher ce qu'il y avait de fragile, d'inefficace et de subtilement hypocrite dans la pitié qui me portait vers elle.

Si la foudre, à ce moment même, frappant autour de nous, avait soudain supprimé les êtres qui nous séparaient, aurais-je été capable, même en invoquant le devoir, de lier le reste de ma vie à cette femme vieillissante et malheureuse ? Je devais bien m'avouer que non.

C'est au cours de cette même soirée que j'accueillis un indice inquiétant : j'aperçus Laurence ouvrant son sac, débouchant un petit flacon et le respirant en cachette derrière son mouchoir; l'odeur de l'éther vint jusqu'à moi. Dans les jours qui suivirent, Irène surprit plusieurs fois le même geste, et m'en parla; enfin, l'un des frères de François, à qui je m'ouvrais de l'inquiétude que me causait le ménage, me confirma ce qui était connu de toute la famille : Laurence se droguait; modérément encore, mais assez pour que sa santé pâtit et pour passer par des états de surexcitation et de dépression également pénibles à son entourage. Ce nouveau malheur me décida : je ne voulus pas laisser finir les vacances sans avoir avec elle une explication. Nous avions jusqu'alors éludé les sujets difficiles, ou procédé par allusions fuyantes : je devais poser à Laurence certaines questions, lui offrir mon aide et la conseiller avec autorité.

Ce fut par une de ces journées de septembre, voisines de l'équinoxe, où les nuages bas roulés par le vent de mer, la lumière déclinante, les odeurs de la terre mouillée et les premiers frissons du soir déploient la consternation de l'été. De Condette, j'entraînai Laurence sur le chemin des dunes; et je donnai tout de suite un tour intime à notre conversation.

— « Laurence, lui dis-je, il existe entre nous des braises éteintes et des souvenirs interdits : laissons cela. Mais une chose peut et doit n'avoir pas changé : notre amitié loyale. Aujourd'hui, votre fierté cherche à me cacher des chagrins et des soucis que je devine. Et pourtant, je suis le seul qui puisse vous soutenir, et je le dois. Au moins une fois, parlez-moi à cœur ouvert. » — « Mon pauvre Gilbert, répondit-elle après une hésitation, que puis-je vous apprendre que vous n'ayez aperçu ? Je suis malade, usée dans mon corps et dans mon courage. Rien ne m'attache à François que la pitié et la nécessité. Je n'aime pas ma fille, qui me le rend bien. J'aime Denis, qui me le rend mal, et qui me haïra sans doute un jour : le jour où il se doutera du secret de sa naissance et où je lui en ferai l'aveu; car je lui devrai alors... Vous savez aussi que nous sommes ruinés, que le pain quotidien nous est parfois un problème. Que voulez-vous savoir de plus ? Si je vous aime encore ? Non, Gilbert, pas vous; pas celui que vous êtes devenu; je devrais peut-être dire : pas celui que vous avez toujours été; mais une image qui s'était formée de vous en moi, et qui y reste accrochée, quoi que je fasse. Pas même un souvenir : une illusion d'optique, si vous voulez, mais que je garde, parce qu'elle est bien à moi; peut-être n'en avez-vous été que l'occasion et ne me fut-elle précieuse que de ce qu'elle a reflété de mon rêve. » Pourquoi voulait-elle ainsi me blesser ? Je fus tenté de lui répondre qu'elle idéalisait un peu banalement le passé, qu'il y avait eu dans notre aventure quelque chose de plus simple et de plus marquant que des attraits imaginaires et des malentendus sentimentaux; mais je dominai cette impulsion d'amour-propre et lui dis seulement : « Sans doute, Laurence; mais ce n'est pas la question. Celui que je suis peut-il quelque chose pour vous ? Voilà ce que je vous demande. Par exemple, vous supportez avec François la charge de l'éducation de Denis... » Elle rougit et m'interrompit brusquement : « Vous n'allez tout de même pas me proposer de l'argent, Gilbert ? Je vous ai promis, au moment où vous partiez pour la guerre, d'élever votre enfant; j'ai tenu ma parole, et je la tiendrai aussi longtemps que j'en aurai la force. » Elle se radoucit pour ajouter : « Je comprends vos scrupules, mon pauvre ami, mais pesez aussi les miens. J'ai dû, pour masquer une situation fausse, en surmonter d'assez gênants; ne me vexez pas davantage. » Alors, je lui parlai de sa santé et de ce que j'appelai discrètement les imprudences de son hygiène. — « Ah! bon, dit-elle, l'éther; on vous a raconté cette histoire. Et pourquoi pas, aussi, le café et le tabac? Vous pensez peut-être que le courage est une pure vertu de l'âme, et qu'on y va sans fouetter le corps; vous n'avez vu à la guerre que de purs héros, qui montaient à l'assaut sans avoir bu... Vous croyez qu'à un certain niveau de tristesse morale et d'effroi, on peut subir le poids de la clairvoyance et de la fatigue sans offrir à la conscience froissée la rémission d'un instant de bien-être, au besoin par une drogue? » — « Oui, Laurence, il le faut! Ne pas abîmer notre essence! Ne pas fausser cette partie de nous-mêmes où nous sommes davantage : notre conscience claire, notre raison, notre vue hautaine de la vérité, fût-elle triste. Tous les abandons et tous les renoncements que vous voudrez, mais garder les yeux ouverts, vomir le chloroforme... » — « Allons! reprit-elle avec amertume, je vois que vous n'avez jamais été bien malheureux. Tant mieux pour vous! » Je laissai encore cette dureté sans réponse. — « Au moins, songez à ne pas vous tuer. » — « C'est tout songé. François n'a pas plus de trois ans à vivre; il faut que je tienne une douzaine d'années pour achever l'éducation de Denis; j'irai bien jusque-là. Mais ne me demandez pas, pour prolonger de quelques mois une vieillesse qui sera horrible, de me priver aujourd'hui des pauvres plaisirs qui m'aident à marcher. »

Nous nous étions assis au sommet nu de la dune; au-delà d'une végétation de lande, l'écharpe salie de la mer nous enserrait de sa grandeur morne. La nuit approchait, et la tempête; quelques cris grinçants et doux de courlis déchiraient l'étoffe grise du silence. — « Ainsi, Laurence, repris-je, il est dit que je ne pourrai rien pour vous. Ni un secours, ni même un conseil... » — « Rien, Gilbert, et cela ne doit pas vous surprendre. Vous savez bien que personne ne peut rien pour personne... à moins de tout donner. »

En effet, j'étais désarmé contre son calme désespoir. Peut-être, si j'avais été un saint, si j'avais eu en moi une foi assez vive pour qu'elle fît monter sur cette désolation une lumière d'éternelle espérance... Mais j'étais trop faible pour soulever cette infirme. Mon Dieu! comme nous nous trompons sur les êtres! Comme ceux qui nous paraissent les plus forts sont encore fragiles, démunis et menacés! L'idée que je portais la responsabilité du malheur de Laurence m'était intolérable. Je m'attachais à supposer que nous ne sommes jamais tout à fait la cause de la faillite des autres, qu'elle tient d'abord aux défauts de leur nature et que, tout au plus, nous déclenchons leurs fatalités. Ou bien je voulais croire que, si nous les avons chéris, fût-ce un seul jour et imparfaitement, cet élan de tendresse suffit à nous racheter, à équilibrer tout le mal que nous avons pu leur faire ensuite par notre égoïsme ou notre indifférence. — « Laurence, lui demandai-je assez lâchement, vous m'en voulez donc à ce point? Vous prétendez ne rien recevoir de moi, je suis exclu, condamné sans appel... » — « Si je comprends bien, dit-elle, vous me demandez une absolution. Votre vertu rétamée ne suffit pas à vous rassurer, ni le pardon de votre Dieu — car il vous a sûrement pardonné, n'est-ce pas? Il est plein de miséricorde pour ses fidèles et ses élus... » — « Pardonné ou non, quel homme, s'il se regarde sans présomption, peut être content de soi? C'est un privilège de posséder son âme; mais on ne la possède pas sans frayeur. » — « Eh bien, non, reprit-elle après avoir réfléchi un moment, même pour vous rendre la paix, même pour confirmer votre bonheur, je n'ai pas le droit, ni le goût de vous mentir. Vous m'avez fait beaucoup de mal, Gilbert, vous avez bouleversé ma vie. Non parce que vous y êtes venu, mais parce que vous en êtes parti, ou plutôt parce que vous êtes venu en sachant que vous partiriez... Allez! ne cherchez pas à me répondre. Vous trouveriez encore de ces mots trop polis et trop sages que je déteste, parce qu'ils vous éloignent plus que ne feraient des insolences et des injures, si elles sortaient du fond de vous-même... D'ailleurs, que pourriez-vous me dire? Il n'y a pas de solution, parce qu'il n'y a plus de problème. Une vie cassée, ce n'est pas un problème, c'est un accident. »

Le crépuscule était venu; sur le plafond de nuages, il ne traînait plus, au couchant, que quelques lueurs violettes. Nous nous levâmes, Laurence prit mon bras en silence, et je la ramenai à pas pressés vers le creux de brumes déjà froides où était ensevelie sa maison.

V

Le 20 décembre.

Nous fûmes de nouveau trois ans à l'étranger. La correspondance assez fréquente, mais toujours empruntée et insincère, que j'entretins avec les Van Smeevorde me renseigna peu sur leurs affaires, et sur ce qui faisait désormais mon souci : l'éducation de mon fils. Souci qui pesa d'un grand poids dans la décision que je pris de rentrer définitivement en France. Je supposais qu'il allait devenir nécessaire de mettre Denis au lycée, et qu'étant à Paris je pourrais trouver un prétexte pour me charger de ses études et le rapprocher de moi.

Mais ce ne fut point le seul motif de mon retour : ma profession me pesait de jour en jour davantage, et je ne supportais plus mon inutillité brillante. Trop subalterne pour pouvoir empêcher quelque chose — et peut-être les puissants eux-mêmes étaient-ils désarmés, — j'étais seulement à une place de choix pour voir l'Europe se décomposer, et grandir d'année en année la fatalité d'un nouveau désastre. L'Allemagne démocratique s'effondrait; l'idée fasciste gangrenait les peuples malades, la S.N.D. devenait l'académie d'éloquence d'un monde où la vertu et la raison ne recevaient pas d'autres hommages que le vocabulaire d'une énorme et universelle hypocrisie. L'espérance des hommes de mon âge, qui avaient traversé le délire de la guerre et cru souffrir pour un monde assagi, se perdait dans une faillite dérisoire. Si encore j'avais eu le sentiment que mon pays tenait la voie droite et agissait pour arrêter le malheur! Mais je n'éprouvais pas seulement le chagrin de voir décliner son prestige et sa puissance, je m'irritais du balancement incohérent de sa politique entre des chicanes procédurières d'avoué de province et des utopies chaleureuses de fins de banquets populaires. Rien de grand, rien d'aéré, rien qui reposât sur une idée ferme et vaste. Le destin pouvait-il être conjuré? Le sort du monde allait-il dépendre d'un geste ou d'un mot? Après tout, je n'en savais rien. Mais j'en avais assez de jouer un rôle de figurant dans une tragédie absurde. Impuissance pour impuissance, je préférais celle, plus honnête, d'une activité de pur théoricien. Le succès de mes travaux d'historien me fit offrir une chaire à l'École des Sciences politiques; je l'acceptai.

Ce choix fut un des actes honorables de ma vie; je me reproche pourtant, aujourd'hui, de l'avoir fait souverainement, en ne considérant que mes desseins et mes scrupules et en sacrifiant sans hésiter les goûts et l'intérêt d'Irène. Elle aimait le monde, les voyages, les plaisirs, et j'allais lui imposer une existance monotone et casanière, la médiocrité peu argentée d'un foyer de professeur et d'érudit de petite audience. Au moins aurais-je dû lui demander son consentement; mais je l'avais à peine consultée avant de prendre mon parti. Elle ne fit entendre aucune récrimination, toujours prête à s'accorder aux circonstances et à creuser partout son petit trou de bonheur; mais notre intimité morale, déjà suffisante, allait se distendre encore. Notre vie s'organisa sur un mode assez banal : le mari enfermé dans une bibliothèque, parmi les pensées et les préoccupations d'un égoïsme supérieur, et la femme livrée à des soucis plus mesquins, s'ennuyant quelque peu chez elle et cherchant au dehors ses divertissements, sinon ses raisons d'exister. Dans notre appartement de Neuilly, où nous avons vécu presque dix années ensemble et où me voici, ce soir, tout enveloppé de noire solitude, j'ai connu des jours de paix laborieuse et de tranquillité de conscience qui figurent à l'actif de mon bonheur; mais j'aurais dû quelquefois calculer que je les payais cher, si elles rejetaient au-delà d'un mur invisible l'âme de la femme à qui je demeurais charnellement lié.

Quelques semaines après notre nouvelle installation, au mois de janvier 1929, un télégramme de Laurence m'avisa que François, en danger de mort, désirait m'entretenir. Je partis sur-le-champ, et j'arrivai à Condette au crépuscule; l'horizon assombri de la forêt, le ciel écrasé, la prairie inondée où sanglotaient les oiseaux de mer rendaient à peine reconnaissable le site charmant de l'été. La maison était toute fermée; je frappai discrètement à la porte, et Laurence vint m'ouvrir, vêtue de noir, plus flétrie, plus grise et plus fatiguée que nous ne l'avions laissée trois ans auparavant. — « Trop tard ? » demandais-je. — « Oui, la crise l'a emporté. Il est mort à midi. Mais il avait préparé deux lettres que j'ai trouvées dans le tiroir de sa table : une pour vous et une pour moi. »

Je la suivis dans la chambre où François, sur son lit, régnait dans la fugitive beauté de la mort. Cette paix de journée finie, cette expression d'ultime certitude heureuse que le corps prolongeait pour quelques heures dans son immobilité de marbre, que voulait-elle dire ? Quel abandon au jugement de Dieu, ou quelle résignation à l'ordre du monde? Je ne savais, je n'ai jamais pénétré de quelle foi repliée, chrétienne ou stoïque, cet homme tirait sa noblesse et sa sagesse. Denis, au pied du lit, ne perdait pas des yeux la dernière image de François. Il ne priait point, car sa mère ne lui avait donné aucune pratique religieuse; mais, debout au bord du cercle de lueur rougeâtre diffusée par une lampe basse, il avait l'air, dans la pénombre, d'un archange méditant. La concentration passionnée de son esprit, l'intimité de son chagrin, un frémissement contenu devant le scandale de la mort apparaissaient dans la gravité fixe de son visage, qu'un tremblement à peine perceptible défaisait par instants. J'admirai au premier coup d'œil combien il était devenu beau; il avait, à douze ans, la force et la grâce d'un adolescent de quinze, avec un regard d'une profondeur et d'une fermeté presque viriles. J'allai d'abord l'embrasser; mais, plus que jamais, je sentis cette sorte de répulsion corporelle que lui donnait mon contact. Puis je m'agenouillai devant le corps de mon cousin, que Laurence, debout, impassible et sans larmes, contemplait. Pourtant, quand je me relevai, la tension tragique de ses traits me frappa. Souffrait-elle de se voir séparée de l'homme qui encombra sa vie et qu'elle avait torturé avec une indifférence cruelle, mais qui était, malgré tout, son mari, son compagnon de chaîne et de misère? Je crois plutôt qu'elle souffrait de ne pas souffrir, de mesurer le néant d'une existence tellement vide de présence et d'amour que la mort même n'y changeait rien, n'épaississait pas l'ombre. A moins que, derrière son orgueil, dans l'émeute des souvenirs et des peurs que la rencontre de la mort provoque chez les âmes les plus vigoureuses, un scrupule ne la tourmentât, un remords ne se fût réveillé. Quoi qu'il en fût, j'eus compassion et, faisant un pas vers elle, je posai ma main sur son épaule. Pourquoi fût-ce à ce moment que Denis, se jetant brusquement sur un fauteuil, éclata en sanglots convulsifs ? — « Cet enfant s'épuise, dit Laurence, ses nerfs ne tiennent plus. Il n'a pas quitté cette chambre depuis trois jours! » Nous eûmes toutes les peines du monde à obtenir qu'il allât se reposer. Je ne l'y décidai qu'en sortant avec lui de la chambre; on aurait dit qu'il ne pouvait supporter l'idée que je fusse auprès de sa mère devant le corps de Paçois.

Et pourtant, j'ai veillé François, toute cette nuit-là, seul avec Laurence; Denis, écrasé de fatigue, avait fini par s'endormir et j'avais eu la joie de le porter sur son lit, enfant tout de même, corps léger, détendu, réconcilié par le sommeil. Vers l'aube, comme j'allais prendre à mon tour quelques heures de repos, je trouvai sur ma table la lettre de François que Laurence y avait déposée. Qu'allais-je entendre de cette voix d'outre-tombe? Quels justes reproches ou quels secrets douloureux? Jamais je n'ai ouvert une enveloppe avec une pareille appréhension et en tremblant aussi fort. Les deux pages avaient été écrites d'un élan, couvertes d'une grande écriture généreuse, montante et désordonnée. Voici ce que je lus :

« *Condette, octobre 1928.*

« *Mon cher Gilbert,*

« *Mon cœur ne va plus, je suis sous le coup d'une mort prochaine, probablement subite. Si cette lettre t'est remise, c'est que les circonstances ne m'auront pas permis de te parler, de t'exprimer de vive voix, je n'ai pas le droit de dire une dernière volonté, mais un dernier vœu. Je ne voudrais pas que Denis fût abandonné à sa mère. Laurence n'aura ni les ressources ni, hélas ! le ressort moral pour l'élever convenablement. Il faut le séparer d'elle, dans leur intérêt à tous les deux : sinon, il finira par la mépriser ; cela aussi, puisse-t-on l'éviter toujours !*

« *Je peux me rendre cette justice que j'ai beaucoup aimé cet enfant ; je crois bien que je n'ai aimé personne autant que lui. Avec mes pauvres moyens, j'ai fait ce que j'ai pu pour qu'il n'eût pas à souffrir. Je n'ai à lui laisser que ma mémoire ; j'espère qu'il la gardera fidèlement, et qu'on ne fera jamais rien contre moi dans son cœur. Fais bien attention : c'est une nature exceptionnelle, qui peut tout pour le bien et pour le mal. Mon rôle est fini ; je ne suis plus qu'une âme sans pouvoir, mais non sans amour. Quant à la haine, je crois ne l'avoir jamais connue. Adieu, Gilbert, je t'embrasse.* »

Ainsi François me confiait Denis, à voix discrète, sans rendre péniblement explicite une pensée que le ton et la teneur de sa lettre livraient en transparence. Laurence ne chercha jamais à savoir ce que son mari m'avait écrit, et je ne l'interrogeai pas davantage sur les derniers mots qu'elle avait lus ou entendus de lui. Je pense qu'il avait su trouver ceux qui convenaient pour la convaincre sans la blesser; car, lorsque après les obsèques un premier conseil de famille fut tenu avec ses beaux-frères, elle n'opposa aucune résistance aux propositions que je suggérai : elle demeurerait à Condette, où la famille lui assurerait une rente convenable; je me chargerais de la tutelle de Denis et, comme il devait sans délai commencer des études sérieuses, je le garderais chez moi pendant le temps de l'année scolaire pour l'envoyer comme externe au lycée. Heureusement, du côté de Jeanne, la situation s'était éclaircie : la jeune fille venait de se fiancer, et faisait un mariage modeste mais qui assurait son avenir.

Restait à savoir comment Denis se soumettrait à nos décisions. Ce fut Laurence qui lui en parla d'abord, et lui en donna les raisons : sa gêne et l'état de sa santé ne lui permettant pas de quitter Condette, elle devait se séparer de lui pour qu'il pût préparer ses examens. Lui non plus ne fit pas d'opposition. Quand, à mon tour, je l'entretins du projet et lui demandai s'il serait content de me suivre et de vivre avec nous, il m'écouta et me répondit avec cette correction froide qu'il devait affecter presque toujours devant moi. Il fut entendu que j'allais préparer sa nouvelle vie et qu'il me rejoindrait à Paris quelques jours plus tard.

Que dirais-je à Irène ? Une fois de plus, j'avais décidé de mon propre chef. De Condette, je lui avais écrit en faisant un sombre tableau de la situation de Laurence, et en laissant entendre que je devrais m'occuper personnellement de Denis. Mais pourquoi moi ? Denis avait des oncles plus proches et plus riches; comment, sans faire état de la lettre de François, rendre vraisemblable que je me fusse proposé comme tuteur ? Or, cette lettre d'un sens si clair, pouvais-je la montrer sans tout avouer ?

Tout avouer, pourquoi pas ? Dans le train qui me ramenait à Paris, agitant passionnément la question, j'étais arrivé à conclure que je devais la vérité à ma femme. Ma faute était si loin dans le temps et tellement abolie dans mon cœur qu'elle ne pouvait plus troubler son repos ni décourager son pardon. Et si elle consentait à la réparer avec moi, si elle acceptait Denis à notre foyer en connaissance de cause, l'accord que nous scellerions ainsi, dans un jour de loyauté généreuse, ne corrigerait pas seulement une situation fausse : il pourrait établir entre nous l'unité de conscience qui manquait encore à notre intimité. Oui, parler franchement à Irène, c'était l'incitation du devoir et de la sagesse. Pourquoi ne l'ai-je pas entendue ? Pourquoi les mots se sont-ils arrêtés sur mes lèvres au premier moment, qui est toujours le plus favorable au courage; et me suis-je ensuite englué dans le silence et le mensonge ? Par lâcheté, par orgueil, et aussi par répulsion pour tout ce qui ressemble au moralisme sentimental, à la volupté slave d'étaler ses faiblesses, de s'humilier, de s'attendrir dans le remords et le pardon. Et puis, Irène elle-même m'a poussé sur la pente de la facilité : elle n'a pas élevé la moindre objection, manifesté la moindre surprise. « Et Denis ? Pourquoi n'est-il pas avec toi ? Sa chambre était prête. » Voilà ce qu'elle m'a dit sur le seuil même de la porte. Ne s'est-elle donc jamais avisée de rien ? Tant d'indices ne l'ont-ils pas éclairée ? Fut-elle à ce point naïve, ou indifférente ? Ou bien, aussi peu dupe que le fut François, eut-elle la force et la douceur de se soumettre, en m'épargnant jusqu'à la peine d'une explication ? Elle était de ces êtres fuyants dont on n'atteint jamais la pensée ni l'essence, et qu'on chérit peut-être justement à cause de cela, comme le chat aime sur le tapis une petite tache de lumière toujours imprenable. Combien de fois, la tenant endormie, je me suis demandé ce que dérobait en sa profondeur la belle forme calmement respirante : quelle âme grave ou légère, quel secret ou quelle absence de secret ?

Annou, te souviens-tu de l'arrivée de Denis ? Nous l'attendions ensemble à la Gare du Nord; Laurence, qui devait nous l'accompagner, s'était décidée subitement à le quitter à Boulogne, ayant trouvé, je pense, moins cruel de se séparer de lui perdue dans une foule sans âme qu'humiliée par notre compassion de gens heureux. Il descendit seul de l'express, roulé dans le flot des voyageurs, vêtu pauvrement, tête nue et traînant sa lourde valise, pourtant ni accablé ni ébloui : l'air calme et dominateur de quelqu'un qui sait que la lutte commence et qu'il faudra vaincre. Nous le reçûmes affectueusement : tu étais enchantée de retrouver, pour tous les jours auprès de toi, le solide et prévenant camarade d'anciennes vacances; Irène le fêta et le gâta comme l'enfant de la maison. Quant à moi, je me promettais un vif plaisir de lui découvrir la grandeur et la beauté de Paris, de lui montrer tout ce qui peut frapper et séduire l'imagination d'un petit garçon intelligent; mais rien, ni les monuments, ni les musées, ni les cinémas, ni les cirques ne le détacha de sa fière indifférence. Il ne parut touché que par une représentation du « Misanthrope » : à la dernière scène, le départ d'Alceste, si digne dans la droiture de son cœur devant la futilité et la dureté des autres, le bouleversa; et je revis passer dans son calme regard noir ce brusque désordre d'une intelligence émue que, déjà devant le lit de mort de François, j'avais surpris, et que j'aimais comme un signe de noblesse — peut-être aussi parce qu'autrefois je le guettais et l'admirais chez Laurence.

Non, il ne fut pas facile de l'assouplir, de l'acclimater à nous. Son éducation avait fait de lui un composé curieux de sauvagerie brutale et d'intelligence exercée. Il avait peu les usages de la vie bourgeoise et se déplaisait avec les enfants de notre milieu. A la maison, il se retirait; ses plaisirs étaient de retrouver les occupations du temps de Paçois : ses herbiers, ses collections, ses photographies du ciel. Au lycée, il fit en classe des débuts éblouissants, mais très mauvais en récréation : insociable et intraitable, batailleur et indiscipliné. Cependant, comme dans les rues de Condette, il eut bientôt une clientèle de mauvais garçons, de malchanceux et de révoltés. Son professeur l'appelait *Catilina,* et le surnom était juste en un sens : Aristocrate souffrant, qui se tournait en seigneur contre la caste des seigneurs, pour des motifs confus où il entrait de l'orgueil froissé, de l'ambition, de la pitié et je ne sais quel sens blessé de la justice.

Ce qui nous donna, au moins pour quelques années, le Denis apprivoisé qui nous parut parfois si charmant, ce fut sa grande maladie, au printemps d'après son arrivée chez nous. Une activité intellectuelle excessive, l'état de tension nerveuse et de concentration mentale imposé par son changement de vie l'avait déprimé, et il nous fit enfin une méningite. Huit jours et huit nuits nous le disputâmes à la mort. Laurence, souffrante à Condette, n'avait pu venir soigner son fils, et Irène, non plus que moi, ne quitta le chevet de l'enfant. Mais tandis que, jusque dans son délire, il avait parfois, à mon approche, des mouvements de retrait et de frayeur, la présence de « Tante Reine » l'apaisait toujours; il l'appelait plus volontiers que sa propre mère, et presque aussi souvent que Paçois, dont le nom, murmuré ou crié, scandait les vagues de ses douleurs obscures. Quand il souffrait trop, Irène posait une main sous la nuque raidie et, ne laissant qu'un souffle de sa belle voix chaude monter de sa poitrine, glisser entre ses lèvres, flotter comme un fil de la Vierge autour de la tête brûlante, elle réussissait quelquefois à l'assoupir. Puis, ce fut la longue convalescence; Denis, affaibli et dolent, devint plus humain; tu passais des journées entières auprès de son lit ou devant sa table, feuilletant avec lui cette collection de l' « Illustration » dont vous avez eu tant de plaisir, ou classant les timbres les plus rares que je m'ingéniais à lui procurer. Il admettait que je lui fisse la lecture et, à propos des « Récits mérovingiens » ou de l' « Histoire des Ducs de Bourgogne », nous avions des conversations qui me ravissaient : sa grave intelligence, loin de se laisser absorber par le frais coloriage des chroniqueurs, allait spontanément aux ressorts de l'histoire, et déjà nous discutions politique. Un goût naturel le jetait immanquablement au parti des vaincus et des opprimés; il était pour les paysans gallo-romains contre la noblesse franque, pour les bourgeois des communes contre les ducs. Cet instinct ne me déplaisait pas, mais j'en redoutais l'excès; alors je plaidais les droits des conquérants, la nécessité de l'épée, les bienfaits des aristocraties; et je rêvais de former en lui un merveilleux disciple, mieux doué et mieux formé que je n'étais, et qui ferait les grandes choses que j'avais manquées.

Mais, plus que vos jeux et que mes livres, ce qu'il préférait, c'était la présence d'Irène. Il suffisait qu'elle fût là, disant des riens de sa voix qui embellissait tout, pour qu'il devînt de bonne humeur; et quand elle s'en allait, quand elle avait l'air de le négliger pour quelque occupation ou surtout pour quelque amusement, il s'assombrissait et redevenait mauvais et brutal. Je me rappelle un incident qui me frappa beaucoup. Un soir, Irène avait promis à Denis, qui commençait à faire quelques pas dans l'appartement, de le conduire au salon et de lui chanter le morceau qu'il préférait : la « Truite » de Schubert. Mais, par un coup de téléphone, Saint-Philippe, de passage à Paris, nous pria inopinément à dîner, et Irène eut tout juste le temps d'aller s'habiller. Comme, avant de sortir, nous entrâmes dire bonsoir à Denis dans sa chambre, il nous reçut avec son air le plus buté et le plus dur. — « Vous m'avez manqué de parole Tante Reine », dit-il âprement; et cherchant à la blesser : — « D'abord, je n'aime pas votre robe! » (Tu te souviens, Annou, combien pourtant ta mère était admirable en toilette du soir!) — — « C'est bien dommage! dit-elle en riant, et elle se pencha sur lui pour l'embrasser; mais il se détourna et, saisissant un volant du corsage, il le décousit d'un coup crispé. Je pensai qu'Irène allait se fâcher; mais, plus interdite qu'irritée, elle se contenta de dire : « Tu es un méchant, un insupportable garçon! » Alors, il se jeta sur sa main, la couvrit de baisers et lui demanda pardon en sanglotant.

Lorsque, quelques semaines plus tard, Denis partit pour Condette, où il allait passer un mois auprès de sa mère, il était véritablement de notre maison. Il nous remercia sans effusions, mais avec un élan contenu dont j'eus ma part. Je savais qu'il ne me donnerait jamais beaucoup; mais rien ne m'importait plus que ce peu.

VI

Le 4 janvier 1938.

Combien, ce soir, est lourd le silence de nos chambres vides! Annou, les maisons vivent d'être aimées, et il n'y a plus d'amour sur celle-ci. J'y demeure seul, vieil homme amer, mâchant le poison de mes souvenirs, qui m'y retiennent comme un condamné dans sa prison. Et pourtant, des heures aimables et faciles se sont posées entre ces murs; les cinq ou six années qui ont séparé la maladie de Denis de son entrée à Normale nous ont offert plusieurs conditions de bonheur : santé, travail fécond, le peu d'argent qu'il fallait pour vivre, et assez d'entente entre nous pour que, certains jours, nos repas à la table de famille ou nos soirées autour du piano d'Irène fussent le goût de la joie. Tu mettais chez nous, comme partout où tu passais, un air de grâce et de pureté, un recueillement souriant et clair dont la petite croix d'or, pendue à l'échancrure de ton corsage et qui aimantait invinciblement les regards comme le foyer de ta vie, livrait le secret pieux. Denis avait certes de mauvais moments, des crises d'âpreté et de froideur dure, mais aussi des fusées d'espièglerie fantasque, une invention de mots et une fougue de pensée qui relevaient autour de lui le plaisir de vivre, parce que l'esprit soufflait. Irène ne vieillissait pas; autour de la quarantaine, elle gardait sa taille, sa voix, son allégresse de jeune fille; de vous deux, que l'on prenait souvent pour deux sœurs, je me demandais parfois quelle était la cadette. Elle s'entendait parfaitement avec Denis; j'allais écrire qu'elle le traitait comme son enfant, mais c'eût été inexact : plutôt avec une gentillesse de grande camarade, et comme si elle chérissait en lui, éclatante en sa plus belle fleur, cette adolescence invincible que sa propre maturité ne fanait pas.

Mais le bonheur est fragile quand on le trouve, comme une mousse, à la surface de la vie, et quand chacun dérobe aux autres son secret. Nos maux en nous cheminaient sourdement. Moi, j'avais cinquante ans, et j'étais un homme triste. Je vieillissais; je veux dire qu'au-delà des espaces sans frontières de la jeunesse, j'avais atteint l'aire bornée d'où chacun aperçoit l'angle dur de ses limites et, restreignant d'instant en instant le possible, leur rapprochement implacable vers le sommet unique, vers le point zéro de la mort. Ce qui me manquait définitivement, ce que je ne ferais jamais, je le savais désormais avec certitude. Restait à ne gaspiller aucune de mes dernières chances, à ne laisser en friche aucune parcelle de mon domaine réduit et, pour le demeurant, à conquérir la paix, la résignation sans amertume. Il y a, pensais-je, dans la vie de tout homme, une saison pour l'emportement du cœur, pour l'illusion et pour l'enthousiasme; il doit y en avoir une autre pour la maîtrise de l'esprit, pour la clairvoyance et pour le sang-froid : je cherchais à me persuader que la seconde pouvait n'être pas moins riche en amour et en bonheur que la première, et que, s'il est beau de désirer les choses et les êtres pour la fausse immensité que nous leur prêtons, il ne l'est pas moins d'avoir pris leur juste mesure et de les aimer dans leur simplicité vraie. Mais cette sagesse paraît austère aussi longtemps que palpite en nous un seul rêve déçu; comme en ces pesantes soirées d'été où l'orage chevauche et murmure à l'horizon en laissant l'azur sur nos têtes, je portais dans ma paix apparente le pressentiment anxieux d'un bonheur de tempête et d'éclairs, dont me désolait l'absence.

Je vous paraissais généralement morose, et vous me disiez pessimiste : au vrai, je ne l'étais plutôt pas assez. Le pessimiste croit le mal inévitable et le bonheur impossible; l'espoir ni le regret ne le tourmentent; il trouve à la souffrance et à l'ennui un goût naturel, et sa métaphysique en est flatteusement confirmée. Quant à moi, j'ai toujours eu la faiblesse de croire à la possibilité du bonheur : ma tristesse ne m'est pas venue de juger la vie fatalement mauvaise, mais de savoir qu'elle *peut* être bonne et de constater qu'elle ne l'est pas.

C'est un sentiment poignant, soit que nous imputions l'échec à nos erreurs ou à nos fautes, soit à une mauvaise chance. Car, en vieillissant, j'ai cru davantage à la chance : je n'avais plus assez d'orgueil pour penser que notre bonheur dépende absolument de notre volonté et que les circonstances soient indifférentes. La chance, oui, et aussi la grâce; et l'une et l'autre sont données par élection.

Je n'ai pas eu beaucoup de chance; ou, plus précisément, j'ai eu la triste fortune de me trouver toujours lié à des choses déclinantes : citoyen d'une nation que j'avais vue encore, dans sa victoire de 1918, l'une des premières du monde, et qui ne cessait de décroître en force et en prestige; né dans une classe que l'évolution des structures économiques et ses propres fautes condamnaient à la défaite ou à l'abdication; héritier et porteur d'une culture qui semblait avoir épuisé ses vertus et se perdre dans les sables d'une rhétorique périmée. J'étais un bourgeois, quand s'ouvrait l'ère du socialisme; un Français, quand s'élevaient les grands Empires entre lesquels il était visible que la France n'aurait bientôt que le choix d'une vassalité. J'étais né chrétien quand les masses apostasiaient la croix, quand la plupart des fidèles ne conservaient leur religion que comme un vêtement de cérémonie, ou comme une tradition sentimentale. Et mon humanisme, cette synthèse de certitudes limitées, polies par trente siècles de pensée et d'art, que valait-il dans un monde immensément découvert en étendue et en profondeur? Compas trop simple pour nous conduire dans le ciel d'Einstein, dans l'univers de la physique des *quanta,* dans le subconscient de Freud. Et cependant, rien encore ne l'a remplacé, aucune idée satisfaisante de l'homme et du monde, aucune philosophie qui fasse de l'ordre dans les richesses chaotiques de la science et de la conscience modernes. J'ai intensément souffert d'avoir à vivre avec une nature éprise d'harmonie et de stabilité dans une période de désintégration des formes historiques et des catégories intellectuelles ; j'ai traîné dans l'écroulement d'une civilisation la nostalgie d'un monde solide. Une conscience malheureuse, voilà ce que je fus : ce n'est pas un état confortable.

Si j'ai assez peu agi, j'ai posé sérieusement les problèmes de l'action. Il ne m'a jamais paru indifférent de consentir à la vérité ou à l'erreur, à la justice ou à la violence, fût-ce dans le silence intérieur. Toutes les crises qui ont secoué mon époque, toutes les incertitudes politiques et morales qui ont déchiré les consciences, je les ai vécues, parfois jusqu'à l'angoisse, dans le recueillement de mon cabinet de travail, dans mes marches à travers la campagne, dans mes insomnies... Il m'arrivait pourtant de me demander : à quoi cela sert-il ? Pourquoi me tourmenter de ce qui me dépasse et ne dépend en rien de mes décisions ? Alors, en dehors des contingences de la pauvre histoire humaine, je tentais de m'évader, j'explorais les sources d'une joie absolue, vitale ou spirituelle, celle de l'animal qui respire ou celle de l'âme qui contemple. Mais, non, je n'échappais pas à la prison du temps, ni au souci pour les choses qui passent : trop enveloppé d'intelligence pour m'épanouir dans une extase panique, et trop attaché à ma condition terrestre pour me dilater dans l'éternel. Et je me retrouvais cet être incompréhensible et mélangé, ce corps pénétré d'esprit, cette âme alourdie de matière, ce composé de misère et d'espérance : un homme.

Ainsi, j'ai subi le tourment de penser. Penser est joie pour l'esprit génial, qui découvre les solutions en même temps qu'il voit les problèmes, et aussi, je pense, pour le saint, qui contemple l'unité du vrai au-delà des contradictions de l'apparence : mais la grâce me manquait comme le génie, et l'inquiétude était ma part. Restait à chercher la paix en quelque activité créatrice, sur quelque sommet de poésie; mais n'est point qui veut un artiste, et c'est encore une élection de savoir construire un monde de formes où les instincts, froissés et divisés par la vie, trouvent leur assouvissement et leur accord. J'ai dû me contenter de ce type inférieur de création : la construction intellectuelle, le double travail d'analyse et de synthèse pour dégager de l'énorme incohésion des faits certaines séquences de raisons, certains ensembles satisfaisants pour l'esprit. C'est ainsi que je me livrai de jour en jour davantage à l'érudition, prenant de quelques questions limitées une perspective personnelle et qui me donnât le sentiment de la certitude. J'avoue que je m'en suis bien trouvé. Quand je demeurais enfermé dans mon bureau des journées entières, compulsant des montagnes de documents pour rétablir une date ou interpréter un texte, ou pour écrire une monographie qui n'intéresserait pas cent lecteurs, je vous semblais un maniaque et un inutile; et je l'étais en un certain sens. Toi-même, Annou, tu venais parfois auprès de mon fauteuil, et tu me disais en souriant : « Mais enfin, Papa, cela t'intéresse donc tellement, la correspondance de Metternich? Tu crois que c'est si important, ce que disaient et pensaient les messieurs à perruques du Congrès de Vienne? » — Je ne me faisais aucune illusion sur l'importance externe de mes travaux; mais je savais ce que vous ne saviez pas, ce que vous ne pouviez pas comprendre : c'est qu'ils me sauvaient du désespoir. Je regrettais d'ailleurs de n'être qu'un historien, c'est-à-dire d'avoir pour objet ce que sécrète l'homme, ses vices, ses passions, ses faiblesses, ses sottises; ainsi je ne sortais jamais de l'incertain et de l'impur. Il m'arrivait d'envier le physicien, qui découvre l'évidence des lois universelles, et plus encore le mathématicien, qui construit avec des nombres et des figures un monde où règne la plus rigoureuse justice... Enfin, j'étais ce que j'étais, et je faisais ce que je savais faire. C'était quelque chose, de pouvoir bâtir sur la plage, patiemment, mes châteaux de sable; ils n'empêchaient pas la marée de monter, mais ils me distrayaient de mes soucis; et, si ce n'était qu'un divertissement, je me flattais de penser qu'il n'était pas vulgaire.

Je me confiais peu. Qui m'eût compris dans mon entourage? Irène avait trop de nonchalance, trop d'aisance à s'installer dans le confort du petit bonheur quotidien; et tu étais trop jeune pour recevoir entre tes mains ce poids énorme : la tête d'un vieil homme qui n'a pas la paix. L'une et l'autre, ta mère et toi, vous aviez trop de grâces (encore que l'origine n'en fût pas la même et vous fît une joie d'une nature différente) pour accéder à mon inquiétude. Denis, lui, tendait sa pensée toujours plus durement contre la mienne; nous représentions deux tempéraments, deux systèmes, deux générations; le dialogue entre nous n'était pas seulement difficile, il me faisait mal et peur. Autrefois, Laurence et Saint-Philippe auraient pu m'entendre; mais je ne les reconnaissais plus dans les deux êtres abîmés par le temps qui portaient leurs noms. Quand Laurence venait voir son fils à Paris, je m'ingéniais à l'éviter, tant m'affligeait le déclin de cette femme, jadis intelligente et belle, et que je voyais maintenant négligée, enlaidie, un peu détraquée, passant par des alternances de fatuité ridicule et de dégoût maladif d'elle-même, et ne recouvrant sa lucidité, en de rares instants, que pour aiguiser le sentiment de sa détresse. Quant à Saint-Philippe, alors sénateur et ministre, je le rencontrais fort peu ou, pour mieux dire, je ne le trouvais jamais; car, si j'avais par hasard la faveur de le surprendre entre deux portes, entre un conseil de cabinet et un déjeuner chez Mme X... ou Y... (— « Tu ne la connais pas ? une femme absolument délicieuse ! Je ne pouvais pas refuser, tu comprends ! je dois rencontrer chez elle le Baron Z... qui vient spécialement de Berlin pour me voir. Ah ! cher, quel métier ! je ne m'appartiens plus ! ») — oui, quand je saisissais au passage ce météore, je n'avais plus devant moi l'ami, le confident des belles heures profondes de la jeunesse, mais un mannequin fatigué, une machine à débiter les lieux communs et les cordialités stéréotypées, avec quelques traits d'esprit qui relevaient de la mémoire plus que de l'invention. De son métier de diplomate, il avait gardé le pli fâcheux de ne rien livrer de lui-même, pour ne pas donner barre sur lui, et de n'entrer jamais dans le vif des questions, de peur de ne pas les laisser entières; cela rendait sa conversation insupportable. La chronique mondaine lui prêtait d'illustres malheurs conjugaux, rien chez lui ne pouvant être obscur; mais jamais il n'a lâché un mot qui ressemblât à une confidence. Un jour, pourtant, comme je laissais deviner certaines déceptions sentimentales : « Bah ! m'interrompit-il, le mariage, nous savons bien ce que c'est : le droit de torturer l'autre en l'appelant *mon chéri.* » C'est la dernière fois que nous avons touché à notre vie privée, et nous n'avons pas été plus outre. Il ne fut plus question entre nous que de politique — de ce que Saint-Philippe appelait la politique : non le sort de l'État, mais la situation du ministère. Je n'avais plus rien à partager avec ce grand homme englouti par sa surface.

C'est après son premier bachot, ou plus exactement après son entrée en Philosophie, que Denis affirma ouvertement sa personnalité contre nous. Jusqu'alors, il s'était tenu à des escarmouches et à des taquineries, comme pour éprouver notre résistance. La seule affaire grave avait été son refus de recevoir une instruction religieuse et de faire sa première communion; comme je me heurtais à une volonté réfléchie, et que d'ailleurs sa mère le soutenait sur ce point, j'avais estimé ne pas devoir insister; et de toi-même, bien que tu en aies eu beaucoup de chagrin, tu avais compris qu'il valait mieux le laisser tranquille. Pour le reste, les professions d'esprit fort dont il nous régalait fréquemment n'allaient pas beaucoup au-delà des impertinences habituelles à un lycéen intelligent qui jette sa gourme.

Mais, brusquement, le climat changea. Nous avions encore passé, cette année 1933, nos vacances à Hardelot — pour la dernière fois, car j'y trouvais tant de sujets de tristesse que j'étais décidé à ne plus renouveler l'expérience. Au cours de l'été, Denis avait vu fréquemment Laurence, encore qu'elle lui reprochât de la délaisser pour aller jouer au tennis avec Irène ou faire de la bicyclette avec nous; entre la mère et le fils, les rapports m'avaient semblé orageux, et pourtant plus affectueux et confiants que de coutume. Dès son retour à Paris, Denis affirma une indépendance de conduite et de pensée excessive pour ses dix-sept ans. Il sortait sans permission, rentrait tard sans excuses, achetait les livres et les journaux qu'il voulait, recevait à la maison des garçons et des jeunes filles qu'il ne nous présentait pas et qui n'étaient visiblement pas des camarades d'études. Les années précédentes, il acceptait sans façon le peu d'argent de poche que je lui donnais; mais, un beau jour, il se mit à le refuser :

« Question de principe, me dit-il. Je hais l'héritage et l'argent qu'on n'a pas gagné. Vous me nourrissez, Oncle Bert, et c'est déjà trop. Laissez-moi au moins me débrouiller pour le reste. » Irène découvrit bientôt qu'il passait des nuits à copier des adresses, pour se faire quelques francs. Aux repas, seuls temps de la journée où nous le voyions encore, il ne sortait guère d'un silence hostile que pour contester agressivement ce que je disais ou ce qu'il supposait être mes opinions et mes goûts; en religion, en morale, en politique, en littérature, en histoire. Je lui répondais avec patience, sans, bien entendu, le convaincre; si j'ajoutais l'ironie, il s'exaspérait. Jamais plus un moment de détente, un élan de gentillesse. Irène tentait parfois de l'apaiser par des moqueries faciles : « Tu nous ennuies, Robespierre! Reprends de la crème au chocolat. » Mais elle obtenait rarement un sourire. Une seule chose, je l'ai plusieurs fois remarqué, l'induisait à se taire : un certain regard tendre et blessé dont tu l'enveloppais quand il avait prononcé des mots qui te choquaient dans ta dévotion ou dans ta pureté.

Au cours de l'hiver, je reçus une lettre du proviseur qui me mettait au courant de ce qu'il appelait « un fait grave ». Contrevenant à la règle qui interdisait la politique au lycée, Denis Van Smeevorde y avait fondé une cellule communiste. Comme il était un brillant élève, son exclusion n'était pas envisagée pour le moment : il n'avait eu qu'un blâme; mais le proviseur croyait devoir m'informer d'une activité qui pouvait entraîner les plus fâcheuses conséquences. En effet, quelques semaines plus tard, le soir du 12 février 1934, Denis ne rentra pas à la maison; je fus avisé dans la nuit qu'il avait été arrêté au cours de la manifestation antifasciste. J'allai le chercher le lendemain matin dans un commissariat de police, où l'on voulut bien le relâcher après un coup de téléphone de Saint-Philippe. Mais il ne fut pas facile de le décider à me suivre; il fit une scène violente, ne voulant pas, disait-il, avoir un meilleur sort que ses camarades par la faveur d'un ministre bourgeois; moins maître de ses nerfs que d'habitude, il finit par un déluge de larmes rageuses, et je dus, pour la première fois contre lui, clore la discussion en disant : je veux. Je le ramenai de force à la maison.

A vrai dire, je ne m'inquiétais pas énormément de ses idées révolutionnaires : dans une nature de cette vigueur, le refus violent des lois ne me semblait pas un mauvais symptôme. Classé comme un esprit conservateur, et par lui comme un réactionnaire borné, j'avais pourtant un sentiment trop vif des fissures de l'ordre établi, et les faiblesses intellectuelles et morales de mon milieu m'étaient trop découvertes pour qu'il m'eût été possible de m'assoupir dans un conformisme satisfait. La révolte de ces garçons, je la redoutais comme tout ce qui est instinctif et aveugle — car je ne me faisais pas d'illusions sur leurs prétentions doctrinales, je voyais bien que, ce qui les mettait en mouvement, c'était beaucoup moins l'idée claire et distincte d'un monde futur que le dégoût passionné du monde présent, — mais je ne leur en faisais pas grief; ou, du moins, je les absolvais dans une partie de mon cœur. Ce qui me blessait davantage, c'était de sentir, à la racine des attitudes politiques et morales de mon fils, un ressentiment plus subtil, une crispation douloureuse, une sourde haine dont parfois il me semblait que j'étais l'objet. Fausse impression, peut-être, et qui me venait de la peur que j'en avais. Ah! certes, de quel élan je lui eusse pardonné de jeter sa pensée contre la mienne, s'il avait accepté de s'enrichir de mon expérience, de me confier son espoir et sa foi, de me considérer avec un peu d'affection! Mais je rencontrais en lui un refus qui montait de plus profond que l'intelligence.

J'eus le souci de ne rien briser. Avec le caractère de Denis, tout ce qui aurait ressemblé à une contrainte ou à un contrôle l'aurait cabré et jeté plus loin dans sa révolte; mon propre libéralisme y répugnait d'ailleurs. Je lui épargnai donc les reproches, et je n'abusai pas des conseils. Il continua de recevoir ses amis chez moi; je laissai sa chambre se transformer en librairie révolutionnaire, parfois en lieu de recel pour des tracts et des brochures de propagande : je fermai les yeux, je pris tous les risques de lâcher les rênes à ce pur-sang irrité. Le seul avantage que j'espérais en contrepartie, j'eus parfois l'impression de l'obtenir : une âme un peu ouverte et détendue, une chance de dialogue entre nous. A ce point de vue, les années de khâgne furent plus favorables que celles de Philosophie : Denis y trouva sans doute un meilleur air, un contact plus large avec les œuvres supérieures de l'intelligence, non seulement la pensée abstraite, mais le monde des symboles et des formes, la poésie et l'art. Son dogmatisme fléchit un peu; comme la maladie l'avait fait quelques années auparavant, la culture, momentanément, l'humanisa.

Il nous arrivait donc de causer sans colère, soit à table, soit, plus intimement, dans ma bibliothèque, où il venait me demander un livre, un renseignement. Les questions religieuses l'intéressaient; spontanément athée, il était de ces esprits qui ne peuvent se résoudre à laisser Dieu dans le néant où ils l'ont confondu, et lui font une guerre sans merci. Position fort contraire à mon tempérament : la tentation irréligieuse, parfois vive chez moi, n'est jamais de nier dogmatiquement le mystère, mais de me retirer, avec la déférente circonspection du sceptique dans le petit cercle éclairé des évidences. C'est par un acte de volonté que je me suis rattaché à l'Église; non seulement à son corps mais, autant que je l'ai pu, à son âme; non pour des motifs esthétiques et politiques, mais par besoin d'un ordre intérieur et d'une règle spirituelle : étant ce que j'étais, par mon hérédité et mon éducation, j'ai senti que la fidélité à la religion de mon baptême m'était salutaire, et j'ai tâché qu'elle fût sincère et totale. Auprès de ta foi, Annou, tout appel et amour, et qu'embrasse une surnaturelle évidence, combien la mienne, aride et fissurée de sentimentalité, paraît pauvre et fragile! Denis l'avait compris, il savait m'attaquer là où il me sentait faible, dans le soubassement historique et dogmatique de ma théologie, dans les dissenssions de mon intelligence, dans les aspirations contradictoires de mon cœur charnel. « Oncle Bert, me disait-il, vous n'êtes en somme qu'un humaniste chrétien, c'est-à-dire un monstre, une contradiction vivante. Humaniste, vous mettez l'homme au centre du monde, avec sa sagesse naturelle, son instinct du bonheur terrestre, son salutaire égoïsme; chrétien, vous devez y mettre le Christ, c'est-à-dire la déraison de la Croix, le goût de la souffrance, la destruction du moi par la soif maladive de l'absolu et de l'éternel. » J'essayais de lui répondre que, dans les perspectives d'un christianisme authentique, mettre l'homme et mettre Dieu au foyer de tout n'était pas contradictoire, puisque dans la personne du Christ se faisait la conciliation, la synthèse de l'Homme-Dieu. « Nous aussi, me répondait-il, nous la réaliserons, cette synthèse, mais purement dialectique et naturelle, débarrassée de toutes les scories de mysticisme et d'idolâtrie déposées par des siècles de pensée imparfaite : nous voulons enfin faire un dieu de l'homme, enfin lui donner la terre et son bonheur, la perfection de la justice par l'abolition de tous les esclavages, la perfection de l'amour par la solidarité du grand chantier humain. Au fond de vous, ajoutait-il, quelque chose me comprend; car vous êtes plus humaniste que chrétien; mais vous n'osez pas aller au bout de votre esprit, vous restez empêtré dans les idées de votre milieu et de votre culture, dans l'incohérence mal dominée de vos instincts et de vos complexes. » Je détestais cette façon de réduire le supérieur à l'inférieur, le psychique au vital, le religieux au sociologique; je crois — et c'est ma conviction fondamentale — qu'il y a dans la conscience humaine une vie spirituelle, matériellement et historiquement conditionnée, mais irréductible dans son essence; et je savais bien qu'il y avait autre chose que des habitudes héréditaires ou des réflexes de classe, autre chose que la peur de la mort ou qu'une palpitation anxieuse de mon subconscient dans l'appel que j'entendais vers le Christ. Mais aussi, quand Denis concluait qu'il n'avait rien à prendre dans ce composé d'élévations poétiques et d'attitudes mondaines que j'appelais une religion, que pouvais-je objecter sans présumer de moi-même? Ce qu'il méprisait, ce n'était pas la lumière mais, à travers les opacités de mon âme, son reflet obscurci.

En vérité, il n'était pas facile à nos pensées de se rejoindre : nous ne nous trouvions en rien dans le même camp. Ce qu'il voyait de l'histoire, c'était, en marxiste, un déroulement fatal de grandes phases, caractérisées en apparence par un revêtement d'institutions, de lois, de mœurs et de culture, mais substantiellement définies par un état de la civilisation matérielle et par une structure économique. Par goût et par tour d'esprit professionnel, j'étais porté, au contraire, à débrouiller le jeu politique, en y cherchant la part des contingences : hasards des événements et actes de la liberté. Non que m'echappât le côté déterminé de l'aventure humaine; mais, quand il apparaissait, je m'en affligeais comme d'une défaite de l'esprit, et je guettais curieusement les cas où un calcul plus ou moins juste, un acte inspirée par une passion ou par une idée avaient introduit dans cette grande partie aveugle, comme facteur décisif, une volonté d'homme. Denis, lui, comme la plupart des garçons de son époque, éprouvait une sorte d'extase vitale à se sentir roulé par la marée des forces obscures; il assignait à l'intelligence la fonction de comprendre la nécessité et d'en précipiter méthodiquement le progrès.

Ses préférences littéraires allaient, bien entendu, dans un sens analogue; il aimait qu'une œuvre exprimât le brut et l'informe de la conscience; il justifiait les ambitions démesurées des explorateurs de l'inconscient et des poètes de l'ineffable; il affectait de mépriser comme un vain amusement d'esthète bourgeois l'élaboration d'une forme régulière, épurée et pondérée. J'admirais, à l'inverse, l'opération merveilleuse qui, à partir d'un chaos d'impression individuelle et de conceptions fragmentaires, aboutit à une pensée formulée et communicable. Dans le mouvement de l'œuvre d'art, qui est toujours un passage de la vie au style, il exigeait la vie au point d'excuser la confusion, et j'exigeais le style au point d'accepter la sécheresse. « La vie, lui disais-je, vous en avez la bouche pleine; mais elle est aussi dans la pourriture. Vue au microscope, une goutte de pus donne la plus belle impression qui soit d'un foisonnement de la vie. Un vol de sauterelles qui dévaste un jardin, c'est encore un coup de la vie. La vie, quand elle ne réussit pas à réaliser l'ordre que l'esprit souhaite, est un méprisable accident de l'univers. »

Il me répondait que la seule forme d'art valable est celle qui restitue les pulsations de la sensibilité et les intuitions originales. Je notais cependant avec plaisir que, dans son expression parlée et même écrite, mon fils avait hérité de moi le goût de la clarté; son surréalisme n'allait jamais jusqu'au délire. Et je pressentais en lui le grand écrivain qui saurait dresser les chevaux sauvages, leur faire danser le pas des belles traditions.

En somme, ce qui passait par lui de valable, je crois que je le comprenais; mais non pas lui ce qui passait par moi. C'est le mince avantage des porteurs du passé sur les porteurs de l'avenir : ils ont la culture, l'expérience des idées, le recueillement; ils peuvent entrer par l'esprit dans un monde différent du leur. Les autres ont l'énergie, la foi, l'enthousiasme; ils ne peuvent guère se permettre de douter, car ils n'agiraient plus, ni de comprendre les valeurs qu'ils refusent, sinon ils n'auraient plus l'audace de les renverser. Sans doute sont-ils promis à la victoire, mais quand les vaincus sont plus humains que les vainqueurs, n'est-il pas beau d'être du côté de la défaite? Il m'arrivait de jouir de mon éclectisme patricien comme d'une citadelle d'où je dominais, pour quelques jours encore, l'assaut forcené des jeunes barbares.

C'est vers ce temps que les rapports de Denis et d'Irène prirent le tour imprévu qui devait me faire souffrir; et toi aussi, je crois, Annou, bien que tu ne l'aies jamais avoué et que j'aie toujours évité avec toi ce sujet cruel. Tout aurait dû les opposer; qu'est-ce donc qui avait scellé leur alliance? Par son éducation, par ses façons de sentir et de penser comme par son genre d'existence, Irène était bien plus que moi enlisée dans la bourgeoisie; sa culture, assez superficielle, ne l'avait aucunement délivrée de l'esprit de sa classe. Sans doute, par nos voyages, par notre vie mondaine et quelques lectures, elle avait agrandi un peu l'horizon des préjugés de Chignac; mais sa « largeur de vue », dont elle était fière, était, à peu de chose près, celle de ces femmes du monde qui déclarent les révolutionnaires charmants quand ils font le baisemain, et qui croient avoir résolu la question sociale en accordant une sortie supplémentaire à leur femme de chambre. Je ne crois pas la calomnier en disant que jamais elle ne s'était posé la question de savoir si son bien-être et ses loisirs étaient légitimes, s'ils n'étaient pas achetés par la peine et l'esclavage de la foule ouvrière. Elle protestait, comme les autres, quand le prix d'une heure de femme de journée montait de dix sous, et quand on apprenait qu'au marché du dimanche des ouvrières d'usine manquaient de tact et de raison jusqu'à oser acheter des volailles et des petits pois. Denis pouvait donc observer et détester en elle, dans leur splendeur ingénue, la futilité, la vanité, l'énorme égoïsme de la caste bien élevée. Elle, de son côté, devait lui faire grief de son affectation d'impolitesse, de ses sorties insolentes, de ses relations équivoques. Et cependant, ils s'entendaient à merveille. Jamais elle ne se formalisait de ses retards aux repas, de ses accoutrements incorrects, de ses silences boudeurs ou de ses impairs voulus en présence de ceux de nos amis qu'il n'aimait point. Plusieurs fois, sans même qu'il le lui demandât, elle retint à dîner Médéric, ce curieux garçon, peut-être génial, dont l'intelligence partiale et puissante fascinait Denis; et je m'amusais alors à voir la jeune femme distinguée et un peu frivole s'efforcer de suivre, en rasant les lieux communs généreux, la pensée fanatiquement explosive de l'ouvrier communiste, qui d'ailleurs ne lui savait aucun gré de ses velléités bienveillantes et ne détendait en rien devant nous sa rigueur de procureur du peuple. Quant à Denis, sous une apparence de rudesse, il avait encore pour Tante Reine des égards secrets et touchants ; ce qu'elle lui demandait pour elle, il ne lui refusait jamais ; fidèlement il l'accompagnait à son club de tennis où, sous l'uniforme de l'élégance bourgeoise, il voulait bien pendant deux heures se laisser confondre avec n'importe quel fils de famille du seizième arrondissement. Souvent, en revanche, il lui proposait de la conduire dans les théâtres ou les cinémas d'avant-garde, dont elle se mit à raffoler, et aux expositions de peinture surréaliste, à quoi j'avais l'impression qu'elle ne comprenait pas grand-chose, mais dont elle sut bientôt parler avec le vocabulaire convenable. Et c'était elle, pour ces expéditions, qui accommodait sa toilette, cultivant l'austérité socialiste et prenant ce que j'appelais en plaisantant son genre « étudiante russe ». (Mais elle n'aimait pas cette plaisanterie ; et Denis n'était guère plus content quand, le voyant partir en jeune dandy avec Tante Reine, je lui demandais quelle valeur il convenait d'attribuer aux loisirs aristocratiques dans la dialectique révolutionnaire.)

C'était évidemment lui qui menait le jeu ; pour des raisons que je ne réussis guère à m'expliquer, il avait décidé de prendre barre sur elle. Vanité de garçon, impatient de manier une volonté féminine ? C'est peu vraisemblable ; le donjuanisme ne semblait pas devoir être son genre ; jeune intellectuel du type austère, je le voyais promis aux passions de l'intelligence plus qu'à celles des sens et du cœur. Désir confus de me rendre jaloux — mais, chez un être de cette lucidité terrifiante, fallait-il parler d'un désir confus ? Alors, dessein prémédité de me faire souffrir, de couronner par la captation de l'être qu'il me supposait le plus cher la constante et sournoise stratégie qu'en toute circonstance il organisait contre moi ? Je devais bien me poser la question, je me la pose encore, et je ne suis que trop porté à y donner une réponse qui me déchire. Mais, au cas même où ce motif d'hostilité personnelle a existé, je crois qu'il est combiné avec un autre, plus profond et plus décisif : avec la volonté diabolique de détruire. Non seulement détruire ma paix et celle de notre foyer tant bien que mal uni, mais détruire un être, saper l'échafaudage, artificiel peut-être mais nécessaire, de ses certitudes, de ses habitudes, de ses affections et de ses impératifs moraux; et jouir de le voir tomber dans une liberté sans règles et sans pôle, dans une incohérence spirituelle où ne fussent plus possibles que la révolte et le désespoir. Projet démoniaque, en vérité; mais contre qui, chez nous, Denis eût-il pu le concevoir ? J'étais trop averti, trop armé de réflexion et de caractère pour être vulnérable à ses attaques; il essayait bien de fomenter en moi le doute; mais j'avais douté de tout avant lui, et j'opposais à son poison une âme vaccinée. Toi, tu étais simple et solide comme un diamant; d'ailleurs il te vénérait. Irène était légère et fragile : c'est sur elle qu'il exerça son dangereux génie de décomposition.

Il ne se trompa point sur la méthode; il comprit que l'héritière des Aupetit de Chignac, ce ne serait pas dans sa conscience sociale qu'il l'atteindrait d'abord, ni même directement dans sa conscience morale, mais dans sa foi religieuse. Une femme de la bourgeoisie bien pensante, pour peu que le sentiment ou la vanité s'en mêlent, on la mène plus vite à mettre en question la sainteté de l'Église que les règles de conduite des gens comme il faut, et surtout que le bien-fondé des privilèges de l'argent. Irène avait reçu l'éducation d'une jeune bourgeoise catholique des années 1900 : le couvent distingué, l'écriture pointue, la première communion dans les fleurs et dans les cantiques; un peu plus tard, les fêtes de charité, le voyage à Lourdes, les romans de René Bazin et d'Henry Bordeaux. C'est-à-dire que sa religion était un composé de rites et de coutumes sentimentales dont elle ignorait profondément l'essentiel, et qui répondait moins à un besoin du cœur qu'à un instinct superficiel de conformité. Elle écoutait la messe du dimanche, achetait des soles pour le déjeuner du vendredi, se confessait pour les grandes fêtes, donnait aux quêtes et chantait volontiers à l'église des airs d'opéra; mais, que la vocation du chrétien ne fût pas le bonheur terrestre, qu'il y eût le péché et la Rédemption, que le Christ eût versé pour elle telle goutte de son sang, elle n'y pensait pas beaucoup plus que la majorité des personnes bien vêtues et bien nourries qui vont entendre, chaque dimanche, en fin de matinée, un prêtre déçu et prudent prêcher poliment le scandale de la Croix et l'évangile des pauvres. Elle était même d'autant moins portée à y songer que sa nature heureuse, ignorant le mal et l'angoisse, s'épanouissait sans lutte dans la légalité; elle jouissait d'une grâce si j'ose dire, si naturelle qu'elle ne sentait pas le besoin d'appeler celle qui tombe de plus haut. Je dois me retourner vers moi-même et me juger : l'atonie spirituelle de celle qui fut ma femme, la chair de ma chair, n'en suis-je pas responsable? Qu'ai-je fait pour l'introduire à une idée de la vie plus forte et plus intérieure? Peu de chose, hélas! Mon propre scepticisme, mon formalisme religieux, plus inquiet et plus réfléchi que le sien mais presque aussi aride, ne me permettaient guère de la pousser sur une voie où je trébuchais moi-même. Et puis, n'y a-t-il pas des résistances invincibles ? Tu étais plus puissante que moi, Annou; et cependant, ta présence attentive, ta sollicitude discrètement passionnée, la perfection même de ta foi et de ta charité n'ont pas sauvé la flamme hésitante; ta ferveur n'a pas incendié cette âme prochaine.

Contre une position aussi faible, l'astuce de Denis se déploya merveilleusement. Il excellait à flatter l'amour-propre d'Irène, sa prétention de largeur d'esprit; il lui offrait la satisfaction, à laquelle il faut dire que je ne l'avais guère habituée, de discuter avec elle et de prendre ses idées au sérieux; il accordait au niveau de sa réflexion et de sa culture les questions qu'insidieusement il jetait en travers de ses croyances; il s'appliquait à la mettre en contradiction avec elle-même, plus précisément : à mettre les habitudes superficielles de sa pensée morale et religieuse en contradiction avec les nappes authentiques de sa sensibilité. « Cette histoire du Christ, Tante Reine, elle ne vous a jamais paru étonnante ? Cet enfant qui naît d'une vierge, ce Dieu qui meurt en croix, cette prodigieuse aventure, pas tellement éloignée de nous puisqu'elle se place au temps de Tibère, et dont pourtant aucun historien sérieux n'a parlé ? Si c'est vrai, je ne comprends pas que vous puissiez penser à autre chose, par exemple à être heureuse sur la terre, c'est parce qu'au fond de vous-même vous n'y croyez pas, vous savez bien que ce n'est pas vrai. » Elle essayait d'objecter les arguments communs, faciles et extérieurs : les grands savants qui ont cru, Pasteur disant son chapelet, les athées tombant dans le vice; mais il triomphait aisément, par un étalage d'érudition à quoi elle n'avait rien à opposer : ni science, ni théologie, ni surtout l'expérience interne, le sentiment du Christ, la persuasion du cœur, tout ce contre quoi les arguties de l'intelligence se déchirent comme le verre sous le diamant.

Peu importait à Denis qu'une critique fût dépassée, si elle s'enveloppait d'une sentimentalité persuasive. « Vous n'avez pas lu Renan, Tante Reine; quoi! pas même Renan? » Trop habile, d'ailleurs, pour enfermer le débat sur le terrain scientifique, qui n'intéresse jamais longtemps les femmes (tu me permets de le dire, Annou!), il glissait avec art aux arguments de moralité. « C'est si triste, le christianisme, Tante Reine! Cette comparaison du monde à une vallée de larmes; cette vie qui n'est qu'un passage; cet hypothétique bonheur éternel qu'il faut acheter par le renoncement à nos joies véridiques d'ici-bas... Gide a bien vu cela : vous vous rappelez l'extase lyrique des « Nourritures terrestres » et, en regard, « La Porte étroite, » l'austère destin d'Alissa, la maigre chrétienne... Vous ne sentez pas combien c'est plus noble, plus tragique et plus exaltant à la fois, le sentiment de vivre une existence éphémère, mais infiniment précieuse parce qu'elle est notre tout, et parce qu'elle peut être notre chef-d'œuvre, construit de nos seules mains, et divin si nous savons y réaliser la plénitude de l'homme... ? »

Ainsi parlait l'archange adolescent de la révolte, beau comme Lucifer; et Ève, une fois de plus, l'écoutait. Pauvre Irène! combien elle était vulnérable! Elle franchissait la passe douteuse de la quarantaine, avec une jeunesse d'allure et de cœur merveilleusement conservée, mais, tout de même, ce tourment secret, cruel et corrupteur de l'être qui se sent vieillir et qui n'est pas sûr d'avoir été heureux. A-t-elle été heureuse? Je ne l'ai guère vue que souriante, obéissante, ingénument accordée à son destin. Mais elle eut ses chagrins aussi : sa déception de jeune fille quand elle a dû renoncer au théâtre, son chagrin de femme qui n'a pu avoir d'autres enfants que toi. Certes, l'amour n'a jamais failli entre nous, mais quel amour? Qu'a signifié ma présence auprès d'elle? Ma présence au fond d'un mensonge, derrière un silence d'orgueil, et dans le sommeil nocturne qui nous rapprochait sans nous confondre.

Je n'avais rien à lui reprocher de positif; je la savais foncièrement saine, et la nuance affectueuse de sa camaraderie avec Denis ne m'effrayait pas encore. Elle demeurait avec mois ce qu'elle avait toujours été : douce et gaie, et même plus vivace qu'autrefois. Et cependant, je souffrais de la sentir m'échapper. Qu'elle conformât ses goût littéraires et artistiques à ceux de Denis, qu'elle se moquât des miens, qu'elle suspendît à tous les murs des dessins que je trouvais absurdes et laids, cela ne m'irritait qu'en surface. Elle me disait « vieux jeu », et il est toujours agaçant de nous sentir jugés par des êtres qui méprisent en nous des valeurs trop fines pour leur entendement; mais je ne m'en affligeais pas plus que de raison. Ce qui m'était pénible, c'était d'être le témoin clairvoyant et inerte d'une entreprise de séduction dont je mesurais déjà les dégâts. Séduction est bien le mot, avec les deux nuances qu'il implique chez le séducteur : le charme et la volonté de perdre. Il m'arrivait de sentir en chrétien; et alors, comme toi sans doute, Annou, je m'attristais de voir une âme baptisée glissant à l'incroyance et au refus. Plus souvent, je m'en tenais à un point de vue moral — ne devrais-je pas écrire : esthétique? — d'où je découvrais une raison moins surnaturelle mais, pour moi, non moins impérieuse de plaindre Irène. Je voyais qu'elle n'avait pas une personnalité assez forte pour qu'il lui fût permis, sans risques majeurs, de se séparer tout à coup des croyances et des habitudes de pensée qui l'encadraient. Ne va pas qui veut à la révolte et à la négation des lois. Une âme ferme et lucide y découvre quelquefois la voie secrète d'un plus haut retour; ou, du moins, si elle s'y perd, elle garde encore dans sa catastrophe une tenue et un style qui, sur un certain plan, la sauvent. (Je sens bien, Annou, que ce qui parle ici en moi est ce qui reste, quoi que je fasse, le plus éloigné de toi, et ce que tu ne peux guère comprendre : un fonds irréductible de dilettantisme; mais peu importe; il faut bien que je m'exprime sincèrement et que je tâche de trouver le vrai de moi-même, fût-il contradictoire.) Au contraire, une âme un peu légère et livrée à un caprice de l'affectivité, que peut-elle gagner à se priver tout d'un coup des échafaudages qui la soutiennent, même s'ils ont été construits par les autres, même s'ils aveuglent et contrarient certains aspects de sa nature authentique? Je frémissais à voir ce qu'Irène était en passe de devenir : cette bourgeoise faussement libérée, illusoirement sceptique et artificiellement cultivée, qui usait de mots plus lourds et plus perçants que sa pensée, et qui n'avait plus rien de vrai en elle, ni l'ordre traditionnel qu'elle avait rejeté sans raison valable, ni l'indépendance supérieure qu'elle affectait sans que son intelligence l'exigeât. Elle perdait le charme d'un être ingénument installé dans ses vérités héréditaires, mais elle n'avait pas accès à cette espèce de dignité tragique d'une personne qui, toutes amarres rompues, se pose en ennemie des lois humaines et divines. Denis pouvait, sans cesser d'être lui-même, faire le brave contre Dieu; Irène non. — Plus rien de vrai en elle, ai-je écrit; mais n'est-ce point parler d'elle injustement? Si sa pensée n'était que la déclamation d'un rôle écrit par un autre, au moins l'avait-elle accepté de l'auteur avec une prédilection passionnée; elle s'était livrée sincère, sinon libre, à l'influence qui aimantait à son insu ses raisonnements et ses sentiments. Il y avait donc une chose qu'elle ne jouait pas, qu'elle n'avait pas imaginée, et que désormais ses moindres mots et ses moindres gestes trahissaient : l'attrait extraordinaire qu'elle subissait pour un garçon beau et surabondant de jeunesse, qui l'assiégeait d'une sympathie inconnue, et qui avait su pénétrer le premier dans le recès de sa conscience où, comme la plupart des êtres vieillissants, elle couvait la douleur sourde d'avoir gaspillé sa vie.

Ce qui surtout me choquait, c'était son attitude à ton égard. Non qu'elle eût cessé d'être pour toi une mère aimante et attentive. Mais elle affectait des airs d'ironie et de supériorité, qui convenaient d'autant moins que tu la dominais par le sérieux de ton esprit et par l'étendue de tes connaissances. Tu étais admirable de tact et de patience, tu essayais avec ton extraordinaire sourire, tout amour et joie, ses sarcasmes sur ce qu'elle appelait ton « complexe mystique » quand elle surveillait son style, et ton « air sainte Nitouche » quand elle retrouvait le vocabulaire de Chignac. Pour aller chaque matin à la messe des servantes, pour t'occuper des pauvres que tu visitais, du patronage où tu surveillais les enfants, tu devais te battre patiemment, et entendre d'assez pauvres discours sur la mesure qu'il convient de garder en toute chose et sur le bonheur qu'il faut savoir demander à la vie. Dieu sait pourtant que tu aimais le bonheur, et que tu y allais avec tout ton être! Tu étais loin de figurer la petite fille ensevelie dans une dévotion triste : tu brillais dans tes études, tu aimais le monde, qui faisait fête à ta grâce — et comme tu étais charmante en ces retours d'aube, avec ta robe de bal un peu froissée, tes tresses de cheveux châtains dérangées par six heures de danse, tes yeux bleus élargis d'une légère fatigue ; et pourtant, cet air de jeunesse intacte et d'invincible allégresse, et tes pas légers qui semblaient suivre encore le rythme d'une musique ! On connaissait ta dévotion, mais qui aurait supposé qu'Anne d'Aurignac irait bientôt adorer dans un grand silence exclusif la surnaturelle présence qu'elle semblait emporter partout avec elle ? Ta mère se doutait de quelque chose, redoutait et combattait ta vocation. Je la craignais aussi, dans l'égoïsme de mon affection ; mais je te trouvais si belle dans la lumière qui te baignait, je la sentais tellement imprégnée à ton être que je n'aurais rien voulu, rien osé dire qui troublât le mystère où ta perfection mûrissait.

Annou, il y a des choses qui m'ont intrigué ou inquiété, et que tu as connues mieux que moi, et que tu pourrais seule m'apprendre. Par exemple, les raisons pour lesquelles tu as cessé peu à peu de sortir avec Irène et Denis. D'abord, tu allais jouer au tennis avec eux ; parfois même, tu les accompagnais au théâtre, tu suivais leurs stations dans les bars littéraires, dans les petits cafés où Denis rejoignait certains de ses camarades. Pourquoi t'ingénias-tu bientôt à inventer des prétextes pour esquiver ces sorties ? Je suis sûr que tu fus quelquefois blessée. Et je ne pense pas que ce fût par Denis. Il n'aimait pas te faire de la peine, il avait pour toi, vraiment, une prédilection et des attentions de frère : je lui en garde assez de reconnaissance pour oublier parfois ce que j'ai souffert par lui. En effet, quand vous avez commencé à grandir ensemble, je me suis d'abord tourmenté pour vous, et j'ai pensé que mon devoir serait bientôt de vous séparer ; car enfin, vous étiez l'un et l'autre mes enfants, et vous ne le saviez pas, vous étiez dans le péril ou de vous aimer ou de vous haïr comme des étrangers. Je dois dire que vos rapports ont eu toujours une simplicité loyale et une rectitude qui m'ont ôté bientôt ce souci. Votre entente était sans nuage et sans équivoque; et je n'admirais pas moins, dans l'affection très pure qui visiblement vous liait, les égards et la gentillesse de Denis que ta réserve et ton autorité douce. Est-ce que je me trompe ? Il me semble que ton frère n'a jamais rien dit ni rien fait pour combattre ton penchant religieux, pour semer un doute dans ton esprit, un trouble dans ton âme; l'apostolat infernal qu'il exerçait auprès d'Irène, je ne sais quelle délicatesse le contraignait de s'en abstenir avec toi. Bien mieux, le zèle d'Irène à étendre vers toi l'influence qu'elle subissait de lui paraissait le gêner et ne lui était, en tout cas, pas agréable; et il se trouvait alors secrètement ton allié. Je me souviens d'un petit fait qui m'a surpris et touché profondément. Un soir, au salon, Irène parlait avec enthousiasme de « L'Amant de Lady Chatterley », qu'elle achevait de lire; elle répétait fort bien et fort sincèrement ce que Denis en avait dit devant elle : témoignage pathétique contre l'esprit pharisien, héroïque effort pour aller au bout de soi-même, pour débrouiller ses complexes, pour retrouver la nudité de la nature; chef-d'œuvre authentique et durable. Tu préparais alors ta licence de philosophie, la littérature psychologique t'intéressait, et tu pensais ne devoir ignorer aucun chef-d'œuvre : tu pris le livre sur le guéridon et tu commenças à le feuilleter. Mais Denis, s'approchant de toi, te l'ôta doucement des mains et, le refermant : « Non, Annou, dit-il, ne lis pas cela; c'est du vrai qui n'est pas propre. Il faut qu'il reste des anges sur la terre. »

VII

Les Cormiers, 10 mars.

Je rouvre ce cahier après plusieurs semaines. Souffrant sur la fin de l'hiver, j'ai dû interrompre toute espèce de travail. D'ailleurs, les événements dont j'aborde le récit eurent un caractère pour moi si douloureux, et finalement si horrible, qu'une sorte de paresse défensive m'inventait des prétextes à cesser d'écrire. Je tâcherai pourtant d'aller jusqu'au point final.

Me voici donc aux Cormiers; j'y suis venu chercher les premiers pressentiments du printemps atlantique; peut-être aussi le décor de notre drame, dont les heures les plus noires ont sonné à cette pendule comtoise, dans la salle à manger trop grande, au plafond trop haut, et que les pins de la cour, encore en cette saison, emplissent d'une pénombre froide. Dehors, dans le soir qui tombe plus lentement, un vent de giboulées secoue les arbres et dégage par instants des pans de ciel où vont trembler les premières étoiles. Et je suis seul parmi mes spectres.

C'est en 1935 que j'ai acheté Les Cormiers. Désirant me rapprocher des pays de l'ouest où nous avions ma femme et moi, notre origine, j'ai englouti tout ce que je possédais de capital dans cette antique masure, assez noble d'aspect, et dont je comptais faire l'asile de notre vieillesse. Le paysage, trop plat mais gracieusement coupé de petits bois et de vignobles, me plaisait; la proximité de Royan — quelques kilomètres à peine — nous donnait l'air salé de l'Océan et nous offrirait, en été, les agréments d'une grande plage. Je ne cachais pas le plaisir — « bourgeois » disait dédaigneusement Denis, mais non! tout naturel et légitime — que j'éprouvais à posséder enfin, sur le versant descendant de la vie, un morceau de terre, des arbres et des murs à moi; il me semblait que j'allais amarrer ma barque dans une douceur de crépuscule... Maintenant, je cherche à vendre Les Cormiers. Tous ceux que j'y voulais avec moi m'ont quitté; je ne me sens pas assez de courage pour veiller et vieillir seul dans ce silence de rade immobile, solitaire et hantée.

Cette année-là s'annonçait pourtant assez heureuse. Mon enseignement et mes livres me valaient quelque succès et un peu d'argent; je donnais des conférences à l'étranger; l'Académie m'accordait un prix important; enfin, je reçus le ruban de la Légion d'honneur. L'influence de Saint-Philippe ne fut pas, je le crois, étrangère à cette distinction; mais je ne l'avais pas sollicitée, je n'avais fait aucune démarche, à plus forte raison aucune bassesse pour l'obtenir, et j'avoue qu'elle me fut agréable. Elle consacrait vingt-cinq années de labeur sérieux et de loyaux services; je n'avais rien réalisé de grandiose, la vie m'avait plutôt déçu, mais enfin, je pouvais me rendre cette justice que j'avais fait consciencieusement mon métier; et il ne m'était pas indifférent que l'on s'en aperçût.

Le métier! je voudrais écrire ce mot avec des lettres d'or! Dans l'écroulement de tant de valeurs morales, dans le doute qui pèse sur tant d'idées, et aussi dans le dégonflement des illusions sur moi-même et sur la vie, le métier est une des rares choses qui tiennent et soutiennent. Oui, le train-train du labeur quotidien, la cotisation que l'on paie à la société pour avoir droit à jouir de ses avantages, toute cette activité qui nous paraît d'abord ennuyeuse, extérieure à nous et imposée par un mécanisme aveugle, c'est elle qui, plus que tout le reste, nous forme, nous durcit, nous autorise, nous couvre de dignité devant le monde et d'immunité contre nous-mêmes. L'homme le plus niais ou le plus vain en paroles, s'il vient à parler de son métier, fût-il raccommodeur de bottes, il paraît intéressant et plein. Le plus accablé de chagrins, le plus tourmenté par un vice, s'il est fidèle à son métier, il a une porte pour échapper au désespoir ou à la décomposition de soi. Ces milliers de fiches que j'ai amassées, ces centaines d'heures de cours que j'ai parlées, cette dizaine de livres que je me suis forcé d'écrire honnêtement, c'est mon viatique d'honneur; quels que soient mes défaillances et mes échecs, ces millions de minutes patientes et besogneuses, où j'ai bâti un petit peu de science et meublé quelques esprits d'un peu de vérité, sont ma défense devant les hommes; et j'oserai déposer sans honte cette humble pacotille devant Dieu. Bien sûr, on peut douter de tout. Ce que je donnais pour vrai l'était-il? Valait-il la peine d'en munir des médiocres qui en gonflaient leur fatuité plus qu'ils n'en fortifiaient leur culture? Rendais-je en effet plus de services à l'État qu'un joueur de flûte? — Hé! si le métier de quelqu'un est de jouer de la flûte, qu'il en joue juste et bien, et qu'il envoie promener les philosophes et les notaires! Il arrive un moment où il faut bien se recevoir sur une certitude, si étroite soit-elle, et accepter une règle, fût-elle convenue; faute de quoi la vie vole en poussière. Je me suis reçu sur les habitudes et les devoirs de mon état.

Tu te souviens, Annou, de la fête que nous avons donnée à la maison, au début de l'année 1936, pour ma décoration.

J'avais réuni les plus sympathiques de mes collègues, de vieux camarades, tous mes amis, et Saint-Philippe me remit la croix, me donna l'accolade. Il fut charmant ce jour-là et, par exception, présent : avec une nonchalance mélancolique avec nos communs souvenirs de jeunesse, avec une amitié qui s'était rouillée par les années mais qui avait été un jour vive et propre. Et te rappelles-tu combien Denis, en cette occasion, put se montrer odieux ? Odieux et brillant : ce garçon de vingt ans parmi ces hommes mûrs, chargés de science sinon de pensée, allait de groupe en groupe, semait le paradoxe et l'ironie, trouvait le mot frappant, le mot aiguisé qui dégonflait chaque baudruche, qui blessait, qui soulevait les muettes colères. A l'ambitieux amer et malchanceux il vantait insidieusement la réussite de l'adversaire; au faux vertueux il citait Tartufe; avec Saint-Philippe il mettait la conversation sur une nouvelle du Décaméron qui préfigurait ses mésaventures conjugales. Avec moi, il clignait de l'œil, il affectait de souligner le comique et la vanité d'un rituel dont, étant intelligents, nous ne pouvions pas être dupes — sachant qu'en effet j'étais un peu dupe et livré momentanément à une satisfaction sentimentale dont il semblait vouloir me priver. Vexés par lui, mes invités s'ingéniaient à me glisser sur son compte des propos subtilement désagréables, des compliments pointus. « Ce jeune homme est très intelligent, me disait le sombre et pâle Thévenin, mais faut-il croire qu'il reflète la mentalité de sa génération ? C'est la fin de notre règne, mon pauvre ami ! » Et Saint-Philippe, le voyant assidu, comme toujours, à plaire à ma femme : « Quelle chance a la douce Irène de s'être attaché ce sigisbée à l'esprit de feu ! Et quelle bonne fortune, pour ce jeune homme, de se former dans une ambiance féminine de cette qualité ! »

Denis entra second à Normale en juillet et, pour la première fois, nous passâmes aux Cormiers nos vacances. Elles s'annonçaient heureuses. Ravis de notre installation d'été, nous retrouvions en Saintonge plusieurs familles amies, d'une fréquentation agréable. Notre maison, notre fraîche charmille ne désemplissaient pas de visiteurs, et l'on nous voyait presque chaque jour à la plage, au Casino, au Garden, au Concours hippique. Ces mondanités d'abord ne me déplurent point; elles me détendaient, me divertissaient de mon effort professionnel et de mes transes spirituelles. Mais elles ne tardèrent pas à m'accabler de mélancolie et de rancœur; car, plus âprement que les années passées, j'expérimentais que j'avais perdu ma jeunesse. Un homme de cinquante-quatre ans, qui a vécu dans la poudre des bibliothèques, négligé son corps et fait de son énergie les dépenses les plus coûteuses : celles de la construction intellectuelle et de l'inquiétude morale, est bien près d'être un barbon. Dans vos jeux, dans vos courses, j'aurais voulu vous suivre, mais je m'y essoufflais vite et me sentais ridicule. Et pourtant, je traversais cette phase périlleuse des hommes de pensée, cette crise de la tentation faustienne de la vie, qui éclate à la fin de l'âge mûr. Heure terrible et délicieuse : l'habitude de l'analyse a rongé beaucoup de certitudes, desséché nombre d'espérances, dissipé maintes illusions; la seule valeur encore solide paraît être une puissance de convoiter et de jouir, plus impérieuse en son déclin et plus âprement défendue parce qu'on l'éprouve maintenant fragile et proche de s'épuiser. Alors se développe en l'âme anxieuse comme une gourmandise de sentir : les plus grossiers vont aux affreuses luxures séniles, et les plus délicats à une avidité méthodique d'amateur, d'esthète, de collectionneur d'images et d'impressions, que l'ironie protège contre les retours de la curiosité métaphysique et contre l'appel de l'absolu.

L'éblouissement et le tumulte de la seconde jeunesse prirent chez moi, dans la chaleur et l'éclat de cet été, une forme que certains pourraient trouver ridicule, mais que je crois plutôt naturelle et touchante : l'amour passionné que j'avais eu pour Irène au temps de nos fiançailles, et qui s'était mué assez vite en une habitude conjugale calme et tiède, resurgit en moi dans son exigence brûlante. Mais alors, les douze ans qui nous séparaient, cette différence d'âge maintenant si visible, m'apparaissait comme un espace d'interdiction magique au-delà duquel il me serait à jamais impossible de rejoindre l'amour de ma femme. Tandis que j'étais déjà ce vieux monsieur décoré, grisonnant, un peu voûté par l'habitude d'écrire et dont le cœur tapait après dix brasses de nage ou vingt minutes de tennis, Irène, toujours étonnante d'entrain et de force, ne suivait pas seulement les plus jeunes, elle les précédait, elle les entraînait, elle n'était jamais lasse d'amusement et de mouvement. Là n'était pas encore le pire obstacle entre nous, mais plutôt, chez elle, une vivacité de cœur et d'instinct, une nonchalance et une disponibilité d'âme qui signifiaient sa jeunesse inentamée; et chez moi tout le vieillissement, tout le raidissement, toute l'aridité d'une conscience lucide après quarante ans d'examen. Non certes que je me sentisse éloigné d'Irène par ce qui restait en elle de léger et d'enfantin : jeune mari, son ingénuité m'avait agacé quelquefois, parce qu'alors je cherchais dans l'amour, davantage, une amitié spirituelle et une camaraderie de combat; époux vieillissant, l'amour, plus imprégné d'égoïsme, voulait m'être poésie, bain de Jouvence, illusion de vie et fraîcheur de source; et alors, je goûtais, au contraire, cette nouveauté d'Irène, j'étais charmé de la retrouver intacte sous le mauvais vernis d'artificielle culture dont Denis l'avait abîmée. Non, ce n'était point de moi, mais d'elle que venait la répugnance à nouer la liaison exclusive et passionnée que j'attendais. Docile et douce, comme toujours, dans l'intimité, elle ne cessait pourtant d'affirmer, avec une innocence et une spontanéité qui m'étaient cruelles, son indifférence à mes pensées et à mes plaisirs, son indépendance à mon égard, sa volonté de poursuivre son bonheur sur des routes où elle admettait comme une évidence que je ne pourrais jamais la suivre : il ne lui venait même pas à l'esprit que j'y pusse prétendre. Une cassure secrète et définitive était consommée entre nos cœurs.

Or, dans les mêmes journées d'ardeur splendide où je me débattais avec cette fringale malheureuse, Denis, par un autre chemin, rencontrait les mêmes démons; mais il les accueillait, lui, dans l'allégresse et la beauté de ses vingt ans. Le tour de son esprit, la nécessité de réussir à ses examens et de préparer un concours difficile lui avaient fait une adolescence d'austérité cléricale : eût-il eu la foi et la pratique qu'il n'aurait pas mieux appliqué dans sa manière de vivre une règle de jeune moine, passionné d'idées et de lectures, occupant sa sensualité — je ne crois pas qu'il m'ait trompé sur ce point — avec les seuls plaisirs de l'art, et dirigeant sur les passions politiques sa véhémence sentimentale. L'espèce de détente intellectuelle qui suivit son admission à Normale gagna tout son être, et son caractère s'en trouva brusquement transformé. Fatigué de vivre par le cerveau et les nerfs, il éprouva la frénésie d'exister par les sens et par les muscles; et il fut, durant tout l'été, un jeune animal magnifique : courant, nageant et dansant, imprégné de mer, d'air salé et de soleil, il s'enivrait d'une joie charnelle qui devait à ses longues habitudes de réflexion et de culture d'être choisie et consciente. Les mœurs naturistes, qui se répandaient en ces années, permettaient aux jeunes gens de vivre à peu près nus : ainsi exposait-il partout, avec une impudeur dénuée de vice mais non de grâce, sa plate et longue beauté égyptienne, son torse et ses bras bronzés, ses jambes minces et puissantes. Tantôt sur le sable après son bain, tantôt à l'heure de la sieste sur la pelouse des Cormiers, il demeurait couché, immobile, livré à une béatitude de sommeil qui faisait descendre ses paupières et ses cils épais sur ses grands yeux noirs, comme s'il jouissait divinement du sentiment de son existence physique, ou comme si son âme, rejoignant la source universelle, se laissait aspirer par les feux solaires. On ne le voyait jamais avec un livre, il ne répondait pas aux lettres de ses amis, et je fus très frappé de ce qu'il refusa de rejoindre Médéric à un congrès de son parti. Ses passions changeaient de pente. Comment le lui eussé-je reproché ? J'étais tenté comme lui et, devant cette émeute de sa jeunesse, moins sévère que jaloux.

Il n'avait rien, pourtant, d'un débauché. Avec l'indépendance de sa nature et les libertés que systématiquement je lui laissais, il lui aurait été facile de se mêler à quelque groupe de jeunes viveurs et, sans même avoir besoin d'aller chez les filles, rien ne l'empêchait de s'amuser avec les petites garces de bonne maison dont la décadence de la moralité bourgeoise peuple aujourd'hui les salons et les plages. Mais il n'en avait pas le goût. Il ne sortait guère qu'avec nous et dans le cercle, assez sage en vérité, de nos amis; ou bien il s'en allait seul, marchant à travers la campagne, ou cherchant au loin, sur les dunes de la Grande Côte, la contemplation de l'Océan solitaire. Je ne saurais dire si cette hautaine vertu me réjouissait ou m'effrayait davantage. J'admirais la noblesse de mon fils qui, jusque dans la rébellion de sa sensualité, préférait l'ivresse poétique aux délices vulgaires. Mais qui pouvait ainsi l'en protéger, sinon le feu de quelque passion? Et quel monstre — et faudrait-il, Seigneur, qu'il fût évoqué par ma colère? — allait bondir un jour hors de la vague pour châtier de quel crime cet Hippolyte orgueilleux?

La gentillesse fraternelle dont il continuait de t'entourer excluait que tu fusses l'objet défendu de son amour. Alors, Irène? Leur entente, l'espèce de prédilection paradoxale qu'ils éprouvaient l'un pour l'autre frappaient tous les yeux : innocence ou cynisme, ils ne se donnaient même plus la peine de cacher leur plaisir de se promener ensemble, de jouer ensemble, de s'écouter, de se regarder. Irène admirait la force, la beauté, l'intelligence de Denis — je cherchais à me dire : comme une mère admire les vertus viriles d'un être né de sa chair, et j'admettais qu'elle reportât sur lui l'amour du fils qu'elle n'avait pas eu, les passions de sa maternité incomplète. Mais il l'entourait, lui, d'une assiduité affectueuse où je ne sentais rien de filial : tantôt calme et impérieux, comme un être supérieur par l'esprit et le caractère s'offre le plaisir d'en tenir en son pouvoir un autre fasciné; tantôt inquiet et jaloux, comme subjugué à son tour par un charme plus fort que sa volonté. Or il me semblait que ce fût maintenant cette nuance qui l'emportât : tout se passait comme si le fier garçon, pris à son propre piège, subissait l'ascendant d'une femme qu'il s'était plu d'abord à froidement dominer. Irène en était venue à lui imposer ses caprices, son goût musical un peu veule, son appétit de mondanités et de divertissements superficiels. Où elle voulait bien qu'il l'accompagnât, il allait presque toujours; mais sa joie n'était parfaite que s'il ne redoutait auprès d'elle aucune présence qui accaparât son attention. Parmi nos amis retrouvés à Royan, tu te souviens que Roger Darnauld, ami d'enfance d'Irène, lui faisait, par plaisanterie plus que par conviction, un doigt de cour. Beau sportif, bon danseur et parleur disert en deçà des problèmes, il avait beaucoup pour lui plaire, et davantage pour nous horripiler, Denis et moi. Mais, tandis que je n'avais pas le mauvais goût de prendre ombrage, Denis affilait contre le charmant garçon tous les traits de son ironie méchante, et le laissait en morceaux après chaque rencontre. Si pourtant Irène ramassait Darnauld et lui manifestait quelque gentillesse, Denis ne s'abaissait pas à se plaindre; mais c'est alors qu'il lui arrivait de disparaître; avec un affreux mélange de gêne, de colère et de pitié, je le voyais prendre l'allée de la charmille, d'un grand pas qui semblait déjà lourd, et ouvrir le portillon du jardin, pour aller traîner sur les éteules ou dans les sables quelle inavouable douleur, quel indéchargeable fardeau?

Ainsi couvait la crise de la dernière semaine des vacances. Tu ne l'as pas ignorée, Annou, car tu en as souffert, toi aussi; mais ce que, sur le moment, je n'ai pas osé te révéler de mon bouleversement intime, je dois l'écrire aujourd'hui. Septembre s'achevait en journées plus courtes et moins brûlantes, mais dorées et magnifiques. Nous avions dîné, ce soir-là, chez les Darnauld dans leur villa de Pontaillac; la conversation était venue sur la peinture moderne; Irène la défendant et Roger Darnauld l'attaquant avec des arguments également convenus, Denis s'était jeté au secours d'Irène dans une improvisation éclatante, qui laissa son adversaire pantois et qui la ravit d'enthousiasme. Aussi, après le dîner, sur la terrasse où nous prenions le café, vint-elle s'asseoir auprès de lui, et leur dialogue se poursuivit en un aparté dont l'animation et la durée finirent par me sembler gênantes. A toi aussi, Annou, car je te vois encore, avec ton sens exquis du convenable, te rapprochant d'eux, te mêlant à leur entretien et les entraînant doucement dans la conversation générale. — Ce n'était encore rien. Roger Darnauld proposa d'aller danser, ce qui fut accepté sans débats. Mais où? Denis suggéra *La Tarte aux Pommes*. C'était, un peu en dehors de la ville, une petite boîte mal famée où les snobs s'offraient à bon marché, dans le coudoiement d'une pègre de métèques et d'escarpes, l'excitation de l'irrégulier. Je connaissais les goûts de Denis : il répugnait personnellement à ce genre; mais, outre qu'il ne lui était jamais désagréable de voir d'avilir la classe qu'il détestait, il savait que j'abhorrais ces malpropretés et, de les imposer et d'y induire Irène, cela entrait sans doute dans son plan de me faire souffrir et de m'humilier. Irène était de ces femmes honnêtes (je me demande s'il ne faudrait pas dire : innocentes, tant est épaisse la zone d'inconscience où sont enfouis leurs instincts) qui se plaisent à picorer la corruption, à respirer au bord du chaudron les vices qu'elles n'ont pas et les désordres où elles se savent incapables de tomber, mais dont l'odeur les flatte et les réveille. Elle avait surtout — ce qui me choquait le plus chez elle, et que l'influence de Denis avait accru — cette affection de libéralisme moral, d' « esprit large » comme elle disait dans un style assez bas. Elle brûlait donc depuis longtemps d'entrer à *La Tarte aux Pommes,* et la suggestion de Denis la charma. Il fallut s'exécuter.

Ah! la soirée abominable! J'aurais honte de faire des phrases pour évoquer le faux pittoresque de l'auberge sordide, le faux air peuple du personnel de l'établissement, la fausse liberté de ces femmes du monde qui s'excitaient à danser au son d'un accordéon parmi des filles et des marlous. Nous restâmes d'abord assis à notre table, écrasés par la presse, arrosant d'un fade champagne des pâtisseries grasses. Denis, qui buvait beaucoup, exultait méchamment. — « Le beau symbole! ricanait-il. Les barrières sociales enfin renversées! La réconciliation du peuple et de l'élite dans une saine crapule! La révolution par la joie! » — « Tais-toi donc, ai-je fini par lui dire à l'écart, et tâche de rester intelligent, même quand tu es saoul. Tu sais qu'il n'y a ici ni peuple, ni élite, ni joie véritable, rien que grimaces payées et payantes. » — « Oui, Oncle Bert, oui, me répondit-il avec une soudaine gravité, vous avez raison : tout ici pue et sue le mensonge. Mais c'est un brave, un honnête mensonge, qui se donne pour ce qu'il est. Au moins, on sait où l'on se trouve; on sait que tout est pourri, ou pourrissant. J'aime mieux ça que le mensonge sucré, parfumé, encensé, de la respectabilité bourgeoise. J'aime mieux ça que la Légion d'honneur et que l'humanisme chrétien. » Il ajouta, te regardant : « Seulement, il n'aurait pas fallu amener Annou. Remmenez Annou, Oncle Bert. Laissez ici ce qui sent mauvais, et les amateurs de charognes. »

Certes, j'aurais bien voulu sortir avec toi; mais, crainte de paraître ridicule et de donner de l'importance à ce qui n'en devait pas avoir, curiosité jalouse, souci d'arrêter à temps un scandale possible, je ne sais quelles forces me vissaient sur mon banc. Et je regardais vers toi comme vers le repos et la source : intacte et sereine, tu dominais ce chaos d'un sourire qui n'était ni de lâche connivence ni d'ironie indignée, mais de pureté pitoyable et de douceur triste; et je comprenais soudain, à la voir resplendir dans ton regard bleu, ce que c'est, l'éternelle mystique du christianisme : l'amour du pécheur dans le refus du péché, une volonté limpide d'offrande et de rédemption. Mais j'étais moi-même trop blessé, trop souffrant dans mon cœur charnel pour qu'il me fût permis alors d'entrer dans ce monde de grâce où tu m'invitais : je te voyais, je te saluais de loin, comme une forme de lumière à la porte d'un paradis dont je n'étais pas digne, et dont pourtant il me venait des parfums et des rayons qui transperçaient ma douleur et me rendaient un peu de repos.

Alors, ils se mirent, eux aussi, à danser. D'abord Roger Darnauld avec Irène, et Denis avec la jeune belle-sœur de Darnauld. Puis Roger t'invita et Irène suivit Denis. Ce n'était pas la première fois qu'ils dansaient ensemble, cela leur arrivait parfois à leur club de tennis, mais je ne les avais jamais vus; et je fus bouleversé. Cela paraîtra-t-il vraisemblable? C'est pourtant la précise vérité : jusqu'à cet instant je n'avais pas vu que mon fils était un homme. Depuis le matin d'été où il avait surgi devant moi, petit garçon rétif dans le salon de Condette, et surtout depuis le soir de février où, sur le quai de la Gare du Nord, il roulait vers moi dans la foule avec sa grosse valise fatiguée, Denis n'avait cessé de construire sous mes yeux l'homme qu'il portait en lui, mais je ne m'en étais pas aperçu : parce qu'il répondait toujours au même nom, parce que ses défauts et ses qualités, en s'accentuant, formaient le même équilibre, parce que je l'entourais du même amour inquiet, pudique et déçu, j'imaginais qu'il était toujours l'enfant que je devais protéger contre des maux d'enfant, contre des fautes d'enfant. Et voici que je découvrais soudain l'homme, avec des passions et des souffrances d'homme : un être de mon sexe, dans l'éclat d'une beauté luciférienne que je n'avais jamais eue, et d'une jeunesse qui insultait à ma décrépitude. — Annou, vais-je t'avouer que j'ai ressenti en cette minute infernale la pointe d'une ignoble jalousie? Si j'ose écrire ces lignes en pensant que tu les liras peut-être, c'est que, vois-tu, ma petite fille, pas même en cet instant, pas même à d'autres heures plus lourdes qui devaient aussi sonner pour nous, je n'ai jamais suspecté les intentions de ta mère. Si quelque chose d'impur frémissait en elle, je n'ose pas croire qu'elle en ait eu conscience. Elle n'aurait pas été Irène, cet être de santé, de sourire et de chanson, docile aux injonctions de la vie mais incapable de se complaire dans le vice et dans le drame, si elle avait laissé croître dans son affection pour Denis un sentiment empoisonné, une délectation équivoque, un désir charnel reconnu et accueilli. Et surtout, plus j'y réfléchis et plus je m'assure qu'elle ne s'est jamais doutée que Denis était mon fils, qu'elle n'a jamais fait, en clarté de vouloir et de choix, un pas dans le sens d'un acte dont elle aurait soupçonné le monstrueux. Non! elle ne se posait pas de questions; elle chérissait Denis pour sa jeunesse, pour sa gentillesse, pour l'importance qu'elle croyait avoir à ses yeux; ce qu'elle y mettait, au-delà d'une tendresse quasi maternelle, de coquetterie féminine, n'entamait qu'à peine sa conscience, et ne la troublait sûrement pas. Elle aimait à danser avec lui parce qu'il dansait bien, parce qu'ils allaient bien ensemble : ce qui pouvait palpiter en elle de plus secret et de plus exigeant restait dans l'obscur de son cœur, et c'eût été un crime de l'en tirer. Dans le désarroi de mes pensées, une volonté demeurait claire et ferme : cacher ma jalousie, ne pas exprimer mes soupçons; ne pas appeler la tragédie en brisant les barreaux de la cage où les petits monstres se mordaient dans les ténèbres.

Mais Denis, ce calculateur, ce clairvoyant, quel dessein lui prêter? Une question, depuis plusieurs mois, me tourmentait sourdement, qui en cette minute éclatait, cruelle. Savait-il? Sa mère avait-elle parlé? Elle m'avait averti autrefois : « Si mon fils exige un jour la vérité, je devrai la lui dire. » Et, après tout, cela pouvait se défendre. Le silence menteur où j'avais choisi de nous enfermer tous, tel maintenant que je n'aurais plus la force ni le courage d'en briser l'écorce durcie, créait d'immenses périls, et Laurence avait pu s'en aviser. Mais alors, quel jeu jouait Denis? Quelle corruption du cœur, ou quelle méchanceté atroce devais-je supposer chez mon fils — s'il se savait mon fils?

Ils dansèrent longtemps ensemble, avec une insistance qui attirait l'attention sur eux. Roger Darnauld n'était pas dupe de l'air triomphant du garçon, qui marquait des points contre lui avec une satisfaction insolente; et son sourire, certaines ironies apparemment inoffensives sur « la belle châtelaine des Cormiers et son gentil page », livraient le sens de sa pensée. Et déjà, du côté des voyous dont c'était le rôle de se montrer impertinents, fusaient des plaisanteries grossières à l'adresse de la « bath' gonzesse avec son bébé mignon ». Cela devenait intolérable, et je perdais mon sang-froid. Enfin, Denis s'étant levé en faisant encore le signe d'inviter Irène, je coupais brutalement : « Assez! Ça suffit pour ce soir. » Et, comme ces mots maladroits, échappés contre ma volonté, jetaient un froid dans notre groupe et déconcertaient Irène, j'ajoutai, pour leur rendre un sens innocent : « Fais danser ta cousine, qui s'ennuie. » Tu jetas vers moi un regard, Annou, un seul regard, qui me poignit; et je compris soudain ce que je venais de faire, quelle lâcheté j'avais commise en t'appelant à mon secours. Un seul regard, de désarroi et de détresse, peut-être un peu de colère, mais qui instantanément, tandis que tu te levais pour suivre Denis, se détendit en un sourire d'acceptation et d'amour : tu allais faire quelque chose qui te coûtait infiniment, qui te choquait, je pense, au plus intime d'une souffrante pudeur; mais tu allais accomplir ta vocation, qui était déjà, qui serait toujours de t'offrir pour la paix, pour la rédemption des autres. Seulement, tu avais présumé de tes forces; et quand tu te trouvas dans l'épais de cette mêlée de corps, parmi l'écœurante touffeur de parfums, de moiteurs animales et de relents d'alcool, quand tu te sentis serrée par des bras dont tu ne pouvais ignorer de quelle proie ils avaient convoitise, ton courage céda, il y eut un refus de ta chair et de ton âme, et comme je ne te perdais pas des yeux, je te vis soudain porter les mains à ton visage, éclater en sanglots, te détacher, courir vers la porte.

Irène aussi avait vu ta sortie, mais non point les Darnauld. « Cette enfant devient tout à fait sotte, me dit-elle; il faut décidément renoncer à l'enlever à ses livres et à ses prières. » Et comme elle se levait pour aller te rejoindre dehors : « Non, dis-je, laissez-la. Elle est fatiguée. Je vais la reconduire aux Cormiers. Je reviendrai vous chercher plus tard. » — « C'est inutile, fit-elle simplement; prenez l'auto, et je rentrerai en side-car avec Denis. » Je ne discutai point, je n'avais plus qu'une idée, partir avec toi, respirer un air salubre. Je te retrouvai dans la cour, assise sur un banc; Denis, parfaitement dégrisé, était debout auprès de toi et vous vous taisiez ensemble; tu ne parlais plus, tu ne pétrissais pas même ton mouchoir dans tes mains crispées; tu semblais comme à bout de force, et n'ayant à offrir qu'une douleur muette et honteuse. Dans la voiture, où tu ne te fis pas prier pour monter, nous échangeâmes peu de paroles, et toujours en observant la fiction que tu avais imposée d'abord : je t'interrogeais sur ta fatigue, sur ce bain trop prolongé que tu aurais pris, sur la migraine qui t'aurait tourmentée tout ce soir. Mais, arrivés aux Cormiers, quand tu m'embrassas avant d'entrer dans ta chambre, tu y mis un emportement tendre qui faillit arracher de moi le sanglot que je réprimais à peine ; et, comme je craignais, moi aussi, de faiblir et d'avouer les douleurs ineffables, je me défendis par un baiser froidement affectueux.

Alors, dans cette même salle où j'écris cette nuit, je passai quelques heures noires, mordu d'inquiétude, d'impatience et d'une irritation que le cours trop lent des minutes exaspérait. Comment avais-je pu les abandonner dans cette sale boîte ? Avec quel sang-froid, quel sans-gêne, elle nous avait laissés partir ! Que faisaient-ils, pourquoi tardaient-ils ainsi à rentrer ? Je fis, cette nuit-là, une banale mais essentielle découverte : c'est que nos passions ne sont tout à fait réelles et n'ont d'empire absolu sur nos âmes que lorsque le corps s'y trouve en quelque façon intéressé. Ce n'était pas de cette soirée que datait ma peine : la complicité sentimentale d'Irène et de Denis me faisait souffrir depuis longtemps ; elle me blessait dans l'affection que j'avais pour l'un et pour l'autre, et dans mon amour-propre non moins que dans mon amour paternel ou conjugal. Mais, pour autant que je n'y avais vu qu'un épisode moral, une sympathie, même nuancée de tendresse, le désagrément que j'en éprouvais, tout vif et amer qu'il fût, n'était encore qu'un frisson de surface, une musique d'élégie. Au lieu que, les ayant vus danser ensemble et pressentant à leur entente une instigation charnelle, même insconciente et inavouée, j'expérimentais les transes d'une jalousie que la nature des liens qui m'unissaient à l'un et à l'autre rendait monstrueuse et intolérable; et je comprenais que le tragique ne commence qu'à l'instant où nos actes, par leurs causes ou leurs résultats, baignent dans le sang.

Cruelle attente, presque jusqu'à l'aube! L'ordre silencieux de notre maison, son doux luxe calme de vieilles poutres solides, de meubles bien cirés et de saines odeurs de campagne me déchiraient un peu plus par leur contraste avec mon tumulte; et aussi, quand j'allais rafraîchir ma fièvre dans l'air du jardin, le ciel criblé d'étoiles au fond de la belle nuit sans lune. Tant d'harmonie encore autour de nous, tant de bonheur possible pour les pauvres hommes, si leurs fatalités intérieures ne leur ôtaient point le peu de répit que leur consentent parfois les forces et les lois du monde! En vain j'essayais de lire, d'occuper mon esprit ailleurs : l'idée fixe ne me lâchait pas. Si j'avais été un chrétien profond et vrai, sans doute, en cet instant, je serais tombé à genoux, j'aurais prié en pleurant; mais je n'étais que peur et colère, un vent de sable desséchait mon cœur et mes yeux. Enfin, sonné trois heures, j'entendis le bruit de moteur que je guettais; je me précipitai dans mon bureau, je me roulai dans une couverture sur mon divan, où il m'arrivait de reposer seul, et je fis semblant de dormir. Oui, cette fois-là, j'eus assez de bon sens et de maîtrise de mes nerfs pour éviter l'explication, pour préserver le silence qui nous protégeait encore, pour fuir devant le malheur dans l'indulgence de l'ombre.

A Paris, nous reprîmes nos habitudes, et le mal, de nouveau, s'assourdit. Irène et Denis recommencèrent à sortir fréquemment ensemble; je ne les en empêchai point, je m'efforçai de cacher mon mécontentement et mes soupçons. Plusieurs fois, je remarquai entre eux de l'aigreur dans leurs propos, une certaine façon de se bouder ou de s'éviter; mais ces malentendus d'amoureux, que suivait d'ordinaire un recrû d'amitié, ne duraient jamais bien longtemps, et ne me rassuraient point.

Le séjour que fit Laurence à notre foyer n'égaya point l'atmosphère. Au début de l'automne, nous avions été la voir à Condette, et elle nous fit une telle pitié qu'Irène décida de la ramener à Paris. Sa santé n'étant pas moins dérangée que ses finances, elle tournait, la malheureuse, au gibier de clinique, et bientôt d'hôpital; amaigrie, habillée — prétendait ta grand-mère Aupetit — comme une diseuse de bonne aventure, elle en était arrivée à faire des bassesses pour obtenir sa précieuse drogue, et hors des heures de prostration, elle dépensait les derniers feux de sa vie intelligence en propos désordonnés, en toquades pour une idée absurde, pour un mauvais livre ou pour un faux grand homme. Où était la femme que j'avais aimée de passion? En quel abîme d'elle-même engloutie, étouffée par quelles chances mauvaises? Ou bien, m'étais-je tellement trompé sur son compte, et ce que j'avais cru deviner derrière les flammes ténébreuses de son regard, était-ce l'instinct de ce pauvre vice, cette vanité, ce crépitement de pensée sans consistance, tout ce néant spirituel, impitoyablement découvert par le reflux de la vie? Non, je ne voulais pas croire qu'il n'eût point existé une autre Laurence, et vers la vieille excentrique un mouvement de pitié et de tendresse me portait parfois : j'essayai de lui parler doucement, de la ramener vers notre jeunesse, de reprendre dans notre commun passé ce qui pouvait en rester de vrai et de pur, et le justifier après coup; mais elle refusait obstinément ces retours : l'allusion la plus lointaine à notre aventure semblait la toucher dans une région tellement sensible de sa mémoire qu'elle la rejetait brutalement. Et je ne pouvais me cacher que, ce qui demeurait en elle à mon égard, c'était une rancune inexpiable. Elle avait une façon, maintenant, de se souvenir de François, de vanter ses mérites et ses vertus, qui enveloppait contre moi-même, contre mon caractère, contre ma façon de vivre, autant de pointes savamment empoisonnées. Pauvre François! de quel cœur n'eût-il pas attendu cette revanche posthume, s'il avait pu seulement la pressentir! Mais l'arme la plus méchante que Laurence, sans cesser d'affecter l'amitié la plus fidèle, tournait désormais contre moi, c'étaient encore Irène et Denis qui la lui fournissaient. Leur connivence ne lui avait naturellement pas échappé, ni ce que j'en éprouvais de chagrin et de frayeur. Alors, au lieu de me tranquilliser, elle excellait à trouver le mot qui me tenait en haleine, ou qui me faisait mal : elle accablait Irène de sa reconnaissance pour la bonté dont elle comblait son fils, pour l'heureuse influence qu'elle avait sur lui; elle félicitait Denis de préférer à n'importe quel autre plaisir la compagnie d'une femme aussi charmante, aussi spirituelle qu'Irène. Maintenant qu'elle s'était résignée à toutes les défaites, la jalousie féroce qu'elle éprouvait jadis contre ma femme, dans son sentiment maternel plus encore que dans son cœur d'amoureuse, avait cédé, s'était absorbée en une passion de vieille : le besoin maniaque de me faire souffrir à mon tour, d'exercer sur moi de patientes vengeances emmitouflées.

Tant de contrariétés finirent par me toucher dans mon être physique et, vers la fin de l'hiver, je tombai gravement malade : cette dépression nerveuse, accompagnée d'une intoxication générale, et qui me fit interdire toute espèce de travail pendant deux mois. Par une réaction spontanée de défense vitale, je m'enfonçai dans une extraordinaire indifférence à l'égard de tout et de tous. C'est alors que je quittai la chambre conjugale, et qu'on m'installa dans ma bibliothèque le lit qui devait rester mon lit. Je me souviens d'y avoir connu, dans l'affaiblissement de la maladie, des moments de passive béatitude : couché sur le dos, sans autre occupation que de suivre des yeux le caprice des lignes d'écaillure sur le plâtre du plafond, je me vidais de pensée au point de n'avoir d'autre sentiment que celui d'une douce chaleur, précieuse et menacée. Ou bien, détaché de tout intérêt immédiat ou prochain, comme un ballon qui a perdu son lest, je remontais sans effort dans le ciel frais de mes rares souvenirs de bonheur, et j'abordais presque toujours aux cimes perdues de ma vie d'enfant : ces heures incomparables où l'être s'épanouit dans l'amitié du monde, où le rêve ne se distingue pas du réel, la sensation de l'intelligence, ni l'activité du jeu. Je revoyais de vieux visages oubliés, qui avaient rayonné pour moi la bonté et l'amour, des jardins qui m'avaient semblé des paradis, des recoins de maisons et des pénombres d'églises où j'avais pressenti de poétiques ou de mystiques présences. Cette purgation de la pensée, ces plongées dans l'existence pure ou dans une frange de vagues souvenirs, souvent déchiquetés par le songe, finissaient pas se distinguer à peine du sommeil, et elles en eurent l'effet calmant et tonique : je récupérai des forces, je me relevai avec le sentiment d'un équilibre reconquis et même avec une illusion de convalescence morale.

Et vint alors ce matin de mai de l'année dernière — dix mois à peine, Annou, ont passé depuis. Tu rentrais, je crois, de la messe, tu frappas de bonne heure à la porte de mon bureau et, assise sur le bras de mon fauteuil, selon ton habitude petite fille, tu me fis part de ton secret. Je n'en fus pas surpris; j'attendais depuis longtemps ta décision; j'en eus un immense chagrin, mais je ne t'en voulus pas un seul instant de l'avoir prise. Si tu nous retirais ta claire présence secourable, si tu fuyais la maison pour aller prier dans un ordre cloîtré, non, ce n'était point que tu te désintéressais de nous, que tu cessais de nous aimer ou de nous plaindre. Tu avais fait tout le possible humain pour nous rendre la paix dans l'amour; et sans doute n'y a-t-il pas d'autre paix que dans l'amour. Mais tu t'étais affrontée à des puissances plus fortes que tes mains et que ton charme. Il te restait à tenter un plus haut recours. Tu ne me parlas pas de nos malheurs particuliers; tu me dis seulement que tu portais depuis longtemps, comme une blessure, le sentiment de l'impureté du monde, de la peine des hommes, de la puissance du péché, de la solitude du Christ; et tu te sentais appelée, par le sacrifice et la prière, à t'unir à l'œuvre de la Rédemption. Seule, ta mère essaya de s'opposer à ton départ. Quant à Denis, j'admirai sa discrétion et sa gravité. Je ne sais ce qu'il te disait au cours des fréquentes conversations que vous aviez ensemble à cette époque; mais devant nous et devant les autres, je ne l'ai pas entendu t'adresser un mot de blâme, de moquerie, pas même de contradiction. Ton dessein était absolument ferme, et l'exécution en fut rapide. A la mi-juin, je t'accompagnai à Montpellier, je t'embrassai dans le parloir des Tourelles, et je vis se fermer sur toi une porte presque aussi lourde que la tombe.

VIII

Paris, le 2 avril.

Un de mes anciens élèves, qui rentre de faire un reportage dans l'Espagne républicaine, m'a porté hier des nouvelles de Denis. Nouvelles indirectes : mon fils n'a toujours pas daigné m'écrire. Mais je sais enfin qu'il se bat sur le front de Madrid, qu'il a reçu déjà une blessure légère et qu'il était le mois dernier en première ligne, commandant une section avec des galons de sous-officier. La pensée ne me quitte plus des dangers que court cet enfant, ni le pressentiment que je vais le perdre. — Perdu, hélas! ne l'est-il pas déjà? Parti de chez moi comme un ennemi, toutes amarres rompues et fonçant dans la guerre comme dans un sacrifice convoité... Suis-je donc si coupable? N'ai-je pas fait, au contraire, tout ce qui était en mon pouvoir pour le retenir, pour dénouer sa volonté sauvage, pour l'aider à trouver sa voie? Mais peut-être n'avait-il pas d'autre voie que celle qui le conduirait à signer de son sang l'acte de me refuser, de nous refuser tous; peut-être est-il appelé à tout donner pour une palpitante espérance au fond de sa détresse irritée...

Pourtant, Annou, au cours des semaines qui suivirent ton départ, il avait paru se rapprocher de moi. Je crois qu'il a eu pitié de ma solitude; reprenant une coutume d'adolescent depuis longtemps interrompue, il venait, presque chaque soir, frapper à ma porte, sous prétexte de muser dans ma bibliothèque; puis il s'asseyait, et nous causions quelques moments. Les débats d'idées, dont nous ne sortions guère, ne nous opposaient plus toujours : quand même ils nous séparaient ce qui était le cas habituel, il nous arrivait maintenant de trouver le point de vue supérieur d'où nous comprenions nos différences et nous les pardonnions. De part et d'autre d'une ligne de faîte absolument critique, moi encore sur le versant de l'ère bourgeoise et lui dans l'aube d'un monde déjà révolutionnaire, nous jouissions parfois de rencontrer cette liberté d'esprit qui transcende les circonstances de l'histoire et les singularités des natures. Bien mieux, par certaines façons de réagir et de raisonner, chacun dans le cercle de notre expérience et de notre système, nous affirmions des analogies de tempéraments ou de méthodes et, plus profondes encore et plus subtiles, des qualités d'âme qui nous étaient communes. Mon fils! comme je l'aimais en ces éclairs de pensée, en ces vibrations affectives où il me semblait que se prolongeât mon sang! Plusieurs fois nous osâmes parler de toi; je cherchai à lui expliquer ce que je comprenais, ou croyais comprendre de ton parti : intolérance du mal, instinct d'amour pur, volonté de mériter pour les autres et d'unir à une passion divine une souffrance volontaire. Denis répondait : « Folie d'une grande âme, mais folie encore. Le temps doit enfin venir où ceux que blesse la vue du mal trouveront une autre stratégie pour le combattre que de se crucifier dans la contemplation inefficace du parfait. » Je lui rétorquais que les plus actifs champions de la justice courront toujours le risque d'une noble défaite; que la matière compacte de l'histoire et les rugosités de la pauvre étoffe humaine ne laisseront pas d'offrir une résistance capable de briser les plus beaux élans : alors, quel recours pour les vaincus temporels si on leur ôtait la croyance en un absolu surnaturellement accessible? — « C'est, répondait-il, un argument dont on n'a le droit de se couvrir qu'au bout du désespoir, et quand on a épuisé tous les moyens d'en sortir. J'exclus un mysticisme qui fournit une excuse à l'acceptation passive du désordre, ou qui résigne un homme à son humiliation. » Du moins, nous tombons d'accord que la charité du saint, quand elle préfère la prière aux œuvres, suppose la clairvoyance souveraine d'une âme qui a éprouvé le plein du dégoût : on offre sa vie pour le monde, mais on l'en retire; on intercède pour ceux qu'on désespère de guérir et de persuader. Il faut avoir perdu bien des illusions sur les hommes pour n'avoir plus à leur donner d'autre preuve d'amour que de leur mériter des grâces.

A cause de l'attitude plus affectueuse de Denis, je n'appréhendais pas trop les deux mois de vacances aux Cormiers. Hélas! je n'avais pas deviné qu'à l'heure où je croyais que s'éloignait la tragédie, l'issue mortelle approchait. Voici donc que je touche à l'épisode essentiel. Si notre pauvre aventure a été autre chose qu'une succession de malentendus, de paroles maladroites, de confidences manquées, d'imaginations sans substance et de sentiments obscurs, si elle a eu quelque signification transcendante et quelque sombre grandeur, c'est en son dénouement que je devrais l'atteindre. Je voudrais scruter ma mémoire, faire revivre, dans le détail des actions, des paroles et des états d'âme, chaque minute de ces quatre brûlantes semaines. Mais peut-être cet effort sera-t-il vain ou, davantage, malfaisant; peut-être ne vais-je soulever que des ombres, remuer des vapeurs pestilentielles, exciter des phantasmes qu'il serait plus prudent de laisser replonger dans l'enfer indulgent de l'inconscience. Et pourtant, je ne me résigne pas à ignorer mon malheur; je veux l'atteindre, l'étreindre, le forcer à dire sa nature et son nom. Je veux, Annou, t'avouer encore, sans pudeur d'orgueil et sans dégoût, tout ce que j'ai su ou deviné, pressenti, craint et souffert. Il faut que sorte le bourbillon

. . . .

La lettre de Gilbert d'Aurignac à sa fille Anne n'a pas été achevée. Les dernières lignes qu'on vient de lire sont suivies d'un blanc, puis de quelques notes, que voici :

7 avril.

Denis est mort. Avec l'acte de son décès, j'ai reçu ce matin la petite liasse de ses papiers intimes : une citation à l'ordre de sa brigade, une vieille photo de François, une ancienne lettre d'Annou, et ces deux carnets sans titre, sans inscription d'aucune sorte, sans aucun signal qui m'avertît du danger de les lire. J'ai lu, et je sais; et ce que je sais, je ne puis le dire à personne, et surtout pas à toi, Annou. Annou, tu n'ouvriras jamais ce cahier. Et cette fois je suis bien seul. Seul avec ma honte et mon mal.

10 mai.

O mon fils, qui m'as tant haï, et qui fus pourtant si près de m'aimer!

14 juin.

Un an ce matin — la porte du couvent s'est fermée sur ma fille. Sa prière n'a pas empêché le drame; mais peut-être lui a-t-elle donné son sens éternel.

26 août.

Un an ce soir — la mort d'Irène. Je me tourmente encore à pourchasser, dans sa conduite et ses intentions, ce qui m'échappe; je forge des hypothèses, j'accuse ou je plaide. A quoi bon, mon Dieu! Pourquoi cette soif d'analyse et de définir le mystère des autres? Ne sais-je point encore que la seule voie pour les rejoindre est de les plaindre et de les aimer?

10 octobre.

D'Annou, la lettre de chaque mois; bouquet de pieuses pensées abstraites. J'y réponds par des pages de banalités affectueuses et d'indifférents souvenirs. J'ai choisi de me taire.

20 octobre.

Par quelque itinéraire de propreté que ce soit, action, étude, prière, service des autres, m'éloigner du puits; ne permettre à personne d'en approcher.

2 novembre.

Encore les glas de la fête des morts. Je ne pleure plus. Je ne juge pas. Je suis simplement avec les miens — tous ensemble transpercés par l'unique regard assez aigu pour découvrir le fond de l'homme, enveloppés dans le seul amour qui guérisse et apaise. Oui, tous ensemble...

Gilbert d'Aurignac, professeur honoraire à l'École des Sciences politiques, officier de la Légion d'honneur et membre de la Société de Saint-Vincent de Paul, a succombé à une pneumonie, au cours de l'hiver 1946. Ce cahier a été trouvé dans son secrétaire, avec une masse de notes manuscrites, documents et premiers brouillons d'une étude sur la diplomatie secrète de l'Impératrice Eugénie. Aucun autre texte ne se rapportait à l'histoire intime du défunt. Mais au cahier, d'une calligraphie haute et nette, étaient ficelés deux carnets noirs, couverts de la dure petite écriture, serrée et coupante, de Denis Van Smeevorde. Deux photographies complétaient le paquet : Irène Aupetit à l'époque de ses fiançailles, et Anne d'Aurignac dans sa robe de sœur professe de Saint-Dominique.

II

DENIS VAN SMEEVORDE

1916-1938

1933

Neuilly, 7 octobre.

Donc, je suis son fils. Dès que j'ai commencé à raisonner — pas même à raisonner : à sentir — je m'en suis douté. A dix-sept ans, j'avais le droit de savoir. Le mois dernier, à Condette, j'ai interrogé ma mère; elle n'a pas fait difficulté d'avouer. La confession ne lui a coûté qu'en apparence; au fond, elle brûlait de me rendre à mon père, à l'homme qu'elle a aimé; qu'elle aime encore, vieille et malheureuse, au fond de sa rancune. Pauvre femme, je n'ose pas la juger : peut-être a-t-elle souffert plus que fait souffrir. Pourtant, je ne lui pardonne pas sa dureté envers Paçois, et les mensonges dont elle l'a cerné.

Cette façon qu'elle avait, pendant mon enfance, de me parler toujours de l'oncle Gilbert! Elle voulait qu'il fût dans ma vie, comme dans la sienne, le héros qui passe, irresponsable du mal qu'il fait, parce qu'il porte le signe du génie et du bonheur. Elle ne se doutait pas qu'elle construisait ainsi l'image la plus propre à provoquer mon antipathie. Je l'ai spontanément détesté; déjà mon amour allait aux offensés, aux malchanceux, aux écrasés; déjà me faisaient horreur les heureux et les puissants, et les vertueux qui acceptent, qui exploitent l'injustice.

Et pourtant, quand je retourne à mes souvenirs d'enfant, je retrouve une cime lissée de soleil : l'été d'Hardelot. Ces huit semaines lumineuses, bouleversées, délicieuses et atroces où je les ai connus tous les trois : l'Oncle Bert, Tante Reine et Annou. Alors j'ai fait d'un seul coup l'apprentissage de la haine, de l'amour, de l'amitié, de la jalousie, du remords, de la solitude. J'étais prévenu contre lui, et tout de suite je fus en garde; mais je subissais son charme, je l'admirais malgré moi; le haïssant et le défiant avec d'autant plus d'âpreté. Surtout, je ne lui pardonnais pas tout ce qui, dans son intelligence, son élégance, ses succès, abaissait la simplicité, les maladresses, les défaites de Paçois. Auprès de Tante Reine, c'était autre chose. Ah! ce ne fut pas hasard si, dès le premier jour, je transfigurai ainsi son prénom : cette jeune femme, rieuse et forte, qui entrait en ouragan dans ma vie d'enfant austère, avec quel élan je reconnus sa royauté! avec quelle ardeur je me consacrai à lui plaire! avec quelle violence je me mis à détester ceux qui se plaçaient entre elle et moi! Belle, riche et heureuse, elle n'humiliait pas moins ma mère que l'Oncle Bert n'humiliait Paçois; mais, à elle, je n'en voulais point; c'est à moi que j'en voulais d'une indulgence que je savais lâche. Souvent, la joie inimaginable que j'éprouvais en sa présence éclatait, se déchirait, s'effilochait en douleurs sourdes, en fureurs confuses. Alors, comme une bête mordue, je boudais, je me retirais dans une bauge d'orgueil, je léchais mon sang. Seule, Annou avait le don de me rendre la tranquillité; sa gravité douce m'apprivoisait; elle me donnait l'impression que je la suivais à travers un bois d'ombre et d'or, où je ne savais quelles fées murmuraient des chansons pures dans un crépuscule de septembre. Voilà tantôt huit ans que je connais Annou, et cinq années que nous vivons ensemble; elle a, elle aussi, sa volonté, son silence et, je crois, son orgueil; mais toujours j'ai reçu d'elle une influence de paix, une certitude calme, un charme de bonheur à l'abri du soleil et du vent.

26 octobre.

Il écrit son journal, je le sais; j'ai vu traîner sur son bureau un cahier intitulé « l'Armoire à glace » — ses « notes d'égotisme », comme dit son cher Stendhal. Est-ce pour cela que j'ai acheté ce carnet, et que je me sens contraint, moi aussi, à dépiauter ma belle âme? Suis-je tellement gouverné par son sang, et séduit par lui au-delà de ma haine? Car de me savoir son fils — un fils qu'il n'a pas voulu et pas avoué — ne change guère mes sentiments : c'est bien malgré moi que je subis son ascendant, comme je reçois ses dons. Curieux : j'ai beau refuser ses principes, renier sa politique et sa philosophie, choisir mes maîtres aux antipodes des siens : dès que je prends la plume, il me semble que je le retrouve en moi; je dissèque et je disserte comme lui; comme lui je coupe les cheveux en quatre, j'énerve la force de mon esprit à chercher les nuances de la vérité (mon professeur de philosophie, hélas! m'en a loué). Que je m'abandonne, et j'aurai son style (du moins quand il a un style, quand il ne se contente pas d'enfiler les poncifs et les banalités solennelles de M. de Norpois).

23 novembre.

La vie au lycée me plaît, d'abord parce qu'elle m'enlève huit heures par jour à cette maison où je respire mal. La philo me dit assez. Je sais bien que ce qu'enseignent les professeurs, c'est l'exploré, le convenu : les hérésies passées dans le dogme, les paradoxes émoussés en lieux communs, les aventures d'hier exploitées en routes nationales. N'importe! ce tour du propriétaire dans l'héritage est utile; on reconnaît les questions débroussaillées, on atteint rapidement la ligne des problèmes résistants avec lesquels on devra personnellement se colleter. Le tout est de ne pas se satisfaire des évidences vulgaires ni d'aucune vérité officielle.

J'ai de bons copains. Greffulhe est fou de littérature et d'art, et plus informé que moi. Par lui j'apprends à connaître tout ce que l'Oncle méprise : le surréalisme, la peinture d'avant-garde. Cette iconoclastie me convient, me délivre, m'amuse. J'écris aussi bien qu'un autre de petits poèmes incongrus, je tire de mon inconscient des boues mêlées de perles imprévisibles. (Mais c'est un fait que, dès que je prends ce carnet, je reviens spontanément à la logique et à la syntaxe; je classe les conjonctions, je pèse les adverbes, je mets des virgules : la connaissance de moi-même ne m'intéresse que saisie par description méthodique, et déposée en formules.)

Sabourin regarde surtout du côté politique. Il est communiste. C'est par lui que j'ai connu Médéric : un type formidable! Sympathie? Je n'ose dire. Mais forte impression. Pour l'étendue des connaissances théoriques, je lui suis supérieur : fils d'un pêcheur breton, il n'a pas fait d'études régulières, et c'est à travers son métier de métallo, les luttes syndicales et l'action révolutionnaire qu'il s'est fait une culture. Mais je m'aperçois que ma supériorité de bachelier ne pèse pas lourd contre lui, qu'il sait mieux que moi ce qu'il importe à un homme d'aujourd'hui de connaître, et qu'il comprend des choses essentielles dont je n'ai même pas l'idée : les mécanismes économiques et politiques, la cause des guerres, le sens de la révolution. Dire que j'ai pu croire que l'Oncle, avec ses enquêtes de fourmi archiviste sur la diplomatie de Talleyrand, siégeait au sommet de la science, et qu'il avait son bout de rôle dans l'histoire! Satisfaction de constater que l'esprit, le véritable, non pas celui qui brille à décrire la surface des choses, mais qui en agite la profondeur, n'est pas du côté des messieurs et des pontifes, pas du côté des professeurs et des juges, mais dans l'épaisseur de la foule, chez quelques mauvais garçons qui conçoivent clairement un nouvel ordre du monde, et qui travaillent avec patience et passion à le rendre nécessaire.

1934

14 janvier.

Cinquième anniversaire de la mort de Paçois. D'après les indications de l'Oncle, j'ai repéré, rue de Seine, ce qui fut sa boutique d'antiquaire. J'aurais voulu y entrer, mais c'est maintenant une maison d'habitation. Alors, je m'en fus errer, je ne sais trop pourquoi, dans les quartiers pauvres de la Porte d'Italie. J'avais besoin d'une atmosphère de vie chétive, opprimée et courageuse pour évoquer son souvenir.

Cher Paçois! Personne ne m'aura mieux aimé, ni d'amour plus généreux. Ce que j'étais, je suis certain qu'il le savait;

ma mère, d'ailleurs, me l'a laissé entendre. Si le mot de père a un sens, c'est à lui qu'il va, et non pas à l'Autre. L'Autre, quand je pense à lui, je ne sais quel nom lui donner : l'Oncle vient toujours et convient, puisque c'est le terme respectable qu'il accepte; ou même suffit un simple pronom, comme si sa présence hostile encombrait toujours ma pensée. Lui, mon père, pourquoi? Parce que je suis né, par hasard et contre sa volonté, d'un spasme de sa chair? Le sang n'a pas tellement d'importance, j'attribue plus de prix aux liens de raison. C'est consciemment que Paçois s'est attaché à mon être, m'a pris par la main pour aider mes premiers pas, a ouvert pour moi son cœur, a peiné, pauvre, pour me nourrir. Et c'est de lui que j'ai appris cette chose énorme, magnifique : qu'il peut y avoir une douceur, une bonté, une noblesse de l'homme. — Parbleu! je sais bien que l'Autre m'aime, lui aussi, et qu'il fait pour moi ce qu'il peut, à condition que ça ne le gêne pas trop, que ça ne renverse pas le savant équilibre de ses petits mensonges honorables. Et puis, non, nous ne sommes pas du même côté; il n'a pas besoin de moi; il a ses livres, ses idées, ses honneurs, son argent. J'ai choisi mon père : celui qui subit l'injustice, et qui donne par amour.

2 février.

Tout de même, quand je suis arrivé à Neuilly, voilà cinq ans, ils ont été bons avec moi. Et depuis, si j'ai des reproches à leur faire, c'est pour ce qu'ils sont, non pour ce qu'ils ont fait. Je n'avais guère connu que la tristesse et la pauvreté; et soudain, la vie facile, confortable; choyé comme un gosse de riche : les bons desserts, les soirées au théâtre, les promenades à la campagne, les professeurs brillants; et surtout la musique, le piano de Tante Reine. Quand je fus malade, leurs attentions, leurs bontés, l'Oncle inquiet et maladroit, Tante Reine des nuits entières penchée sur ma fièvre, Annou si douce pendant les longues journées détendues de ma convalescence. J'ai failli flancher, me laisser envelopper, imprégner par tout ce bonheur tiède. J'ai failli passer dans leur camp. Heureusement, il me restait ma mère; je ne le voyais pas souvent, mais assez pour mesurer chaque fois les progrès de sa misère, de son humiliation. Ma mère, c'est elle, sans le savoir et sans le vouloir, qui m'a sauvé; c'est à cause d'elle que j'ai nourri au fond de mon cœur la pitié, l'angoisse pour les malheureux, la colère contre les riches; c'est parce que je la voyais meurtrie que j'ai refusé de capituler dans le bonheur.

14 février.

Avant-hier, mon « baptême du feu » comme a dit Médéric. Ce plaisir, cette délivrance d'avoir sauté le pas, de marcher franchement avec les ennemis de ma classe; d'être « de l'autre côté », non plus seulement avec des rancunes cachées et des velléités idéalistes, mais avec mon corps, ma bouche qui gueulait, mes poings qui cognaient. Et puis, l'amusement d'un beau chahut, le frisson d'un certain danger, et la joie de me perdre, comme une goutte noire, dans la grande fureur fluviale de la foule. Bon début, bonne journée en somme, si elle n'avait fini par notre échec, et surtout par ma honte : l'Oncle venant me chercher, m'excusant auprès de l'officier de police : « Un enfant entraîné par des camarades plus âgés; une escapade de collégien qui joue à se croire communiste... »

Et l'intervention de Saint-Philippe, le coup de téléphone du ministère pour me faire libérer. Au fond, ce qui m'a fait pleurer de rage, c'est la dignité de l'Oncle, son impassibilité devant moi; pis que tout : son indulgence apparemment amusée. Ces gens-là sont sans colère et sans haine; ils n'ont qu'un peu peur, pas encore beaucoup; ils sont les maîtres et se sentent encore les plus forts; ils peuvent se payer le luxe de pardonner, d'être magnanimes et ironiques. Pas nous. Médéric a raison : notre justice, c'est notre victoire; c'est notre âpreté et notre violence, Il faut ce qu'il faut!

20 mars.

Cela discute ferme à la table familiale, depuis que je leur tiens tête. Art, littérature, politique, religion, tout y passe. L'Oncle est disert, nuancé, prudent; il cherche la formule, il cultive volontiers la litote et l'ironie; c'est le parfait humaniste. Annou — qui prépare une licence en Sorbonne, la pauvre! — est réservée, charitable mais pénétrante : un mot jeté çà et là, mais qui touche et emporte. Tante Reine suit mal, en croyant survoler; elle confond le bon sens et le lieu commun; elle lâche de temps en temps une bourde sensationnelle. (Alors, l'Oncle fait une petite moue très particulière, suspendue entre l'amusement et l'agacement. On sent qu'il voudrait dire à sa femme : « Sois belle, et tais-toi! » Moi, je dirais plutôt : « Tante Reine, ne parlez pas : chantez; et ce que vous direz, n'importe quoi, nous semblera vrai et beau. » Car je ne me lasse pas d'entendre la musique de sa voix.)

C'est surtout autour de la religion que le débat se passionne.

Ils sont catholiques : Tante Reine par convenance et habitude; l'Oncle par tradition et attitude; Annou en esprit et en vérité. Je n'ai pas voulu de leur foi : je l'ai trouvée mêlée à trop d'hypocrisie plus ou moins consciente, à trop de transactions plus ou moins honnêtes. A quoi bon me compliquer la vie avec des hypothèses surnaturelles? La connaissance de la nature me suffit. Je n'éprouve aucun besoin de prier : question de tempérament sinon d'éducation. Et ce que je découvre de la philosophie me confirme dans mon refus : je ne vois pas en quoi l'idée de Dieu, collée sur un univers incohérent, lui donnerait un sens, ni comment le mystère d'une survie, projeté au-delà des énigmes de la vie, les éclaircirait ou rendrait notre nuit moins insondable. Je vois fort bien, par contre, ce que les maîtres gagnent à imposer à la révérence du peuple le nom d'un Roi éternel et d'un juge suprême, qui garantit leur pouvoir; et, mieux encore, à proposer aux pauvres l'image d'un Dieu crucifié qui règne par la souffrance et enseigne la résignation. Médéric a raison : la Révolution ne se fera pas sans renverser l'Église; entre les communistes et les chrétiens, il peut être utile d'entretenir l'équivoque d'une commune passion de la justice, de conclure des trêves provisoires ou de courtes alliances tactiques; mais le divorce est fondamental : cela tuera ceci, ou ceci empêchera cela de naître.

Donc, j'attaque à fond : l'irrationalité du dogme, les scandales ecclésiastiques, l'esprit même de l'Évangile; tantôt assenant furieusement la négation, tantôt la mouchetant d'humour, feutrant le blasphème. L'Oncle tient une position éclectique, et combien littéraire! que jalonnent les « Pensées », le « Génie du Christianisme », la « Colline inspirée » et les « Cahiers de la Quinzaine »; plus proche de Chateaubriand et de Barrès que de Pascal et de Péguy; plus esthète que mystique. — Étrange comme Tante Reine mord à l'athéisme : son éducation l'a imprégnée de la morale du catéchisme contre l'appel de sa nature, qui est païenne; elle doit nourrir, sans même s'en douter, une ancienne rancune sourde contre les prêtres. — Une seule chose me gêne dans mes parades d'esprit fort, au point de me mettre parfois un bœuf sur la langue : je n'aime pas faire de la peine à Annou; et je sens bien qu'alors je lui en fais. Je ne la trouble pas, non, sa paix est trop haute; mais je la blesse.

Hier soir, j'ai causé avec elle, seul à seule, du problème religieux. C'était la première fois que nous abordions ainsi ce sujet, et je me suis senti forcé à le faire sérieusement; non pas à moins refuser, mais à mieux comprendre ce que je refuse. Discussion? Non, Annou ne discute pas, son christianisme n'est pas un système qui se démontre, ou que l'on démontre; c'est comme l'amour ou la mort, une aventure personnelle; une vie, une force intérieure; donc quelque chose qui peut vaincre; qui peut nous vaincre. L'éloquent professeur, qui défend Dieu avec de la philosophie, de la littérature, des restrictions mentales et de prudentes concessions au diable, ne me touche guère, et ne me fait pas peur. Mais il faut bien entendre cet adversaire autrement redoutable : cette jeune fille sans phrases et sans détours, qui dit simplement que Dieu est en elle, et qu'elle vit en Dieu.

20 avril.

Vacances de Pâques sur les bords de Loire. A nous la lumière française, la mesure classique, la douceur angevine et le message définitif de la Renaissance! C'est vrai, après tout, et je n'ai rien de précis à rétorquer aux propos de l'Oncle — sinon que, devant toute forme de vie aristocratique, je me sens gêné, crispé; je ne me résigne pas à ce qui en est visiblement la condition : la sueur de l'esclave et le sang du peuple. La réussite d'une civilisation, c'est toujours, ç'a toujours été l'accès au bonheur et à la beauté pour une élite usurpatrice. C'est pourquoi je pense qu'il n'a jamais encore existé une vraie civilisation : je réserve le mot pour celle qui ne fera pas d'exploités, pas de damnés, pas d'exclus, mais sera l'épanouissement de tous dans l'admiration et l'amour.

Invités par Saint-Philippe en son château de Touraine. Très amusants, les rapports de l'Oncle avec le « meilleur ami de sa jeunesse ». En le choyant, en le couvrant de louanges, il le méprise, il se juge supérieur à lui parce qu'il a conservé une liberté critique et une sensibilité personnelle dont le retentissant imbécile, tout embarrassé par ses titres, ses masques et ses étiquettes, s'est définitivement vidé. Mais au fond, l'Oncle est jaloux, il envie cette puissance sociale que l'autre a réussi à prendre, ce prestige d'un nom et d'une fonction par quoi il serait si commode de se divertir du tourment intérieur et de la mauvaise conscience! Il est un Saint-Philippe qui n'a pas réussi, et qui cherche à transférer à ses propres yeux son échec en honneur, comme s'il l'avait choisi par noblesse et vertu, et non subi par maladresse ou disgrâce. Et la pire chose, pour lui, est qu'il est trop intelligent, trop clairvoyant pour se tromper toujours sur la nature de ses affections : devant Saint-Philippe, il se sent non seulement humilié, mais un peu vil; et c'est de quoi il lui en veut le plus.

20 mai.

Je sais pourquoi je n'ai pas aimé cet homme; pourquoi devant lui je me suis posé en justicier et en vengeur. C'est d'abord avec l'intention de le blesser et de le punir que j'ai donné à sa femme des signes d'affection que je lui refusais à lui; puis, un peu plus tard, c'est pour piquer sa jalousie que j'ai entrepris d'attirer sur moi l'attention de Tante Reine.

Si je ne m'avouais pas cela, je ne serais pas honnête... Et pourtant, la vérité est plus compliquée. Il y a eu autre chose qu'un calcul de méchanceté dans l'élan qui m'a jeté vers cette femme. Ma mère m'a aimé, mais d'une manière dure et virile; elle me parlait beaucoup, elle cherchait avec moi un accord intellectuel, elle formait mon caractère, mais elle n'a guère été tendre, ni caressante. C'est de Tante Reine que j'ai reçu, vers la douzième année, l'initiation à la douceur; c'est elle qui m'a entouré, la première, de parfums, de musique, de fraîcheur charnelle. Trop tard pour que j'y fusse avec l'inconscience de l'enfance, trop tôt pour une passion d'homme. D'où les troubles de mon adolescence, mon hostilité à l'égard des autres femmes, ma timidité farouche devant la seule que j'aimais.

Aujourd'hui, j'ai franchi la zone des complexes, comme dirait mon professeur de philo (un beau cas de psychanalyse, n'est-ce pas?). Tout se passe désormais dans la conscience claire. Quand on a besoin, pour vivre, de voir une femme, de l'entendre parler, même si elle dit des choses banales ou sottes, de toucher furtivement sa main, de respirer ses cheveux; quand on n'imagine pas un plus grand, un plus impossible bonheur que de s'endormir la tête enfouie dans le creux de son épaule, quand on se réveille ébloui d'avoir rêvé d'elle, quand on craint plus que tout de la voir partir ou mourir, c'est qu'on l'aime. J'aime la femme de mon père. On a beau être affranchi des tabous, ça vous fait tout de même un poids sur le cœur.

10 juin.

Je puis m'attendre à réussir brillamment mon second bac. Après quoi, je suis décidé à préparer Normale. J'étais tenté par des voies plus héroïques : rupture avec mon milieu, abandon des études; choisir un métier manuel et foncer dans l'action révolutionnaire. Mais c'est Médéric lui-même qui m'en a détourné : « Prends bien ta mesure, m'a-t-il dit, et ne te crois pas plus fort que tu n'es. Tu es intoxiqué : tu as besoin de leur culture pour vivre. Et nous avons besoin, nous, de gens à nous qui les égalent là où ils se croient supérieurs. » Il paraît qu'on n'aura jamais trop de types comme moi pour garnir le cheval de Troie d'une littérature et d'une Université communistes, en pleine bourgeoisie. Il a ajouté : « Seulement, fais gaffe! Ne te laisse pas pourrir! Ne fais pas trop longtemps joujou avec ta cervelle en or! Ne te paie pas le luxe de comprendre toujours l'adversaire, de critiquer à tort à et travers tes copains et tes chefs, d'attendre d'être convaincu pour agir. Tu as dû choisir ton but une fois pour toutes : la Révolution. Vas-y simplement. » Un moine, si j'étais chrétien, ne m'enverrait pas autrement dans le siècle, ne m'exhorterait pas avec plus de zèle à défendre contre les blandices de l'esprit mondain le soin de mon salut et du Royaume de Dieu. Il arrive que Médéric me fasse peur.

Préparer Normale c'est, dans tous les cas, une solution.

Je ne perdrai rien à étendre mon information intellectuelle, à explorer un milieu que l'on dit riche en variétés humaines. En outre, je serai boursier de l'État, je n'en aurai plus pour longtemps à recevoir l'argent de l'Oncle. Je ne lui en demande jamais, c'est toujours lui qui m'en offre. Mais cela me brûle les doigts de l'accepter.

20 novembre. (*De Louis-le-Grand, en classe de thème latin : aucune espèce d'intérêt*.)

Je rouvre ce carnet après cinq mois de flemme. Le bachot. Puis un mois de vacances en montagne avec la famille. Puis un prétendu voyage d'études avec Médéric, en fait une tournée de propagande dans les départements de l'Ouest. Période assez terne : repos, détente systématique de la machine nerveuse avant d'aborder le grand effort de la khâgne. J'y suis depuis six semaines. Tout va bien; ma forme est bonne, et je me sens plein d'énergie, de projets.

Sabourin et Greffulhe ne m'ont pas suivi. Ils sont vaguement étudiants : l'un à la Fac. de droit, l'autre en Sorbonne. C'est-à-dire qu'ils se sont jetés bravement dans la bagarre. l'un du journalisme l'autre de la littérature. Je garde le contact avec eux : ils m'aèrent et m'empêchent de m'enliser dans la cuistrerie. Le climat des petits cafés de la rive gauche, où l'on boit des alcools médiocres entre génies méconnus, m'amuse, m'instruit parfois; car il arrive, à force d'y peloter les idées que l'esprit s'excite enfin pour de bon.

J'aurais préféré être interne, pour ne plus vivre à Neuilly; mais l'externat coûtait moins cher à l'Oncle, et je l'ai accepté. Je ne le regrette pas; j'ai plus de libertés; et, somme toute, la vie à la maison n'est pas toujours désagréable. (Je m'aperçois que j'écris toujours « la maison », comme si j'en étais; et j'en suis en effet, je n'en ai pas d'autre; autant qu'on se replie sur son propre individu, il est très difficile de vivre sans coquille, de ne pas s'agglutiner, même à ce qu'on n'aime pas.) Oui, la vie Aurignac est possible, ne serait-ce que par la musique : les soirées de chant, le piano de Tante Reine n'ont pas fini de m'introduire à l'extase. J'aime moins les conversations de l'Oncle; trois fois sur dix, il m'ennuie, six il m'agace. Reste la dixième, où il lui arrive de m'intéresser et de me faire réfléchir. Je suis bien obligé de constater que la culture bourgeoise, en tant qu'elle est culture, exerce et délivre le jugement : l'Oncle n'est pas toujours bête; il est fort capable de penser au-dessus des préjugés du troupeau et des intérêts de sa classe; il a de la probité, de la pénétration. Médéric se fâche quand je dis cela : il prétend que je manque de clairvoyance, que le dilettantisme n'est pas la liberté d'esprit, mais la pire infériorité de l'intelligence bourgeoise. « Être libre, dit-il, c'est conclure pour l'action. » Voire. Je n'aime guère une formule dont un fanatique ou un imbécile pourrait trop aisément se couvrir.

Admirable, le zèle de Tante Reine à m'approuver en tout, à épouser mes théories politiques et religieuses, à recevoir et choyer mes amis, y compris le sauvage Médéric. Deux ou trois fois, je l'ai emmenée au théâtre, au cinéma, pour applaudir des œuvres avancées : elle exultait. Je ne lui refuse pas de l'accompagner, avec Annou, à son club de tennis. Quelle diversité dans mes journées! La classe de Louis-le-Grand, les palabres de l' « Œuf à la coque », ma cellule communiste du quai de Javel, le tennis d'Auteuil, le salon de Tante Reine, la bibliothèque de l'Oncle... En somme, pour le moment, je suis heureux (touchons du bois!). M'attristent seulement la pensée de ma mère, dont le déclin s'accentue, et le sentiment même de mon bonheur — un bonheur de privilégié et de parasite, de lâche et de menteur, et dont je ne puis jouir sans scrupules.

10 décembre.

J'aime à faire le compte des choses absolument pures que je trouve en moi. Ni la haine de l'Oncle, car il y rampe un remords. Ni l'amour de Reine, car il ne peut montrer son vrai visage. Mais le souvenir de Paçois; l'amitié d'Annou; la pitié pour ma mère. Je voudrais ajouter : ma volonté révolutionnaire; mais je n'en suis pas absolument sûr. Ce qu'il y a d'exceptionnel dans ma situation et de confus dans mes désirs peut expliquer en partie le repliement de ma volonté sur des passions de violence, le durcissement de mon refus de la société. En partie seulement; car mon aversion de l'injustice n'est pas simulée; elle vient des profondeurs. Mais de quelles profondeurs? Quelle qu'en soit la signification originale, il faut bien employer ici le mot *esprit*.

Neuilly, 18 décembre.

Longue conversation politique avec l'Oncle; la coquetterie qu'il met à paraître me comprendre, à flatter mes sentiments, à se rapprocher de mes opinions me porte un peu sur les nerfs. Sincère? assurément. Ce n'est pas une brute conservatrice; il a lu, il a réfléchi, il connaît les fissures de sa vieille

République bourgeoise; mais pas assez courageux pour en vouloir changer; pas assez détaché de ses préjugés et de ses privilèges. Bien entendu, pour refuser la Révolution, les beaux arguments ne lui manquent pas : valeur des traditions, défense des libertés personnelles, dangers de la violence, méfiance à l'égard de l'État. Un fonds d'optimisme un peu naïf : il croit, malgré son ironie, au progrès des institutions et des mœurs, à une justice relative qui s'établira, cahin-caha, par l'opportunisme démocratique, par un jeu empirique de contrepoids entre la puissance électorale des masses et la puissance financière des classes riches. C'est évidemment plus commode, moins dangereux et moins coûteux que de flanquer la vieille bâtisse par terre, de déchaîner les travailleurs et de construire une cité d'égaux. A cela près, il déborde de bonne volonté, de généreuses intentions, de christianisme social et de socialisme humanitaire.

Il m'a raconté une histoire qui le peint tout cru. Quand il était conseiller d'ambassade à Varsovie, tenu de fréquenter une aristocratie brillante et vaine, dans un pays où les inégalités de conditions ont encore un caractère scandaleux, il détestait ces futilités dispendieuses, ces fêtes insolentes à deux cents pas de l'indigence populaire. Alors, sortant d'un concours hippique ou d'une garden-party, écœuré par la parade des dindons et le caquetage des perruches, il lui plaisait de se mêler à la foule, dans les quartiers ouvriers. « Cela me reposait, m'a-t-il dit, de voir passer une jeune fille en robe de toile, charmante par la seule grâce de son sourire et de son pas, ou un garçon solide, pas encore abîmé par le travail, et qui marchait allégrement pour une besogne nécessaire. J'ai même parfois admiré des hommes et des femmes du peuple, qui semblaient protéger, sous l'impassibilité tragique d'un masque sculpté par la peine, une ardeur, une adhésion intime à quelque grande espérance. Ainsi, j'avais l'impression de retrouver le simple et le vrai. Et je sentais bien qu'il y avait plus d'humanité chez ces gens-là que chez mes comtes, mes diplomates et mes banquiers. » Il a ajouté — assez fin, toujours, pour prévenir l'objection — « Tu vas me dire que ce n'était là que générosité velléitaire, alibi sentimental d'une mauvaise conscience... Tu aurais peut-être raison. C'est vrai, je n'ai pas fait scandale; je n'ai pas chanté l' « Internationale » dans les salons de l'Ambassade, ni refusé de dîner chez des gens que je considérais, dans mon for intérieur, comme des malfaiteurs ou comme des imbéciles. J'ai joué décemment le jeu que ma situation m'imposait. Et quand les dés m'ont paru trop honteusement pipés, j'ai quitté la table sans esclandre. A chacun son style. En tout cas, crois-moi : j'ai sauvé la pureté de mon cœur... »

Le voilà bien, avec son esthétisme et son moralisme! La « pureté de son cœur », quelle importance croit-il donc qu'elle ait dans l'histoire? Et que valent ces nobles sentiments qui n'inspirent aucun acte, ou qui justifient des lâchetés? Grâce à lui, je sais ce que je combats : il est, avec une espèce de perfection, par son tempérament, par sa culture et son style, le Bourgeois. Il l'est, et je lui en sais gré, supérieurement, non dans la déviation de l'idée, non dans le mesquin et le caricatural, mais dans le pur et, à un certain point de vue, dans le grand. S'il était l'homme d'argent, l'actionnaire sec et peureux, l'exploiteur ignare et dur, ce serait trop naturel et trop facile de le détester. Mais non! il est lettré, clairvoyant, intelligent, consciencieux, désintéressé. Il n'est pas le capitaliste, mais un beau produit humain du capitalisme. On ne condamne vraiment un système que si l'on renie les vertus qu'il sécrète. En rejetant cet honnête homme, c'est au cœur du régime que j'applique mon refus.

1935

Neuilly, 1er janvier.

Un grand événement ce matin. Comme j'allais présenter mes vœux à Tante Reine, elle m'a solennellement déclaré : « A partir de ce jour, premier de l'an 1935, tu ne m'appelleras plus Tante Reine : cela me vieillit, et je n'en ai pas besoin. Tu m'appelleras Reine, tout court. » Voilà qui est entendu; et, dans mon carnet, j'écrirai aussi ce beau prénom tout seul. Elle l'a reçu de moi, et j'en use exclusivement. C'est une prérogative que je ne lâcherai pas volontiers.

Je prends sur l'esprit de Reine un empire dont je ne suis pas peu fier. Une voix maligne me glisse à l'oreille : « Il n'y a pas de quoi! Reine est une fort jolie femme; les passants l'admirent dans la rue; on n'a d'yeux que pour elle dans un salon; elle joue bien au tennis; elle chante à ravir Schumann, Fauré et Duparc; mais elle n'est pas très intelligente; et les raisons pour lesquelles elle se laisse dominer par toi n'ont que des rapports lointains avec la vigueur de ta géniale pensée. » Et après? A supposer que mon ascendant ne soit pas de l'ordre de l'esprit, mais une manière de charme, en a-t-il moins de prix ? Et dois-je en ressentir moins de plaisir à mobiliser l'attention et l'amitié d'une femme à qui je vois encore que tous les hommes font la cour ?

Cela me plaît d'ailleurs énormément de la rendre à la sincérité de sa nature, de la nettoyer des convictions religieuses et des conventions bourgeoises que son éducation a plaquées sur elle, et qui ne lui convenaient nullement. Elle était faite pour s'épanouir simplement dans la joie de vivre, dans la saine vigueur de son corps et les élans d'un cœur qui se conserve enfantin. Dommage qu'elle découvre sa vérité passé la quarantaine. Mais a-t-elle quarante ans ? Aucun signe d'usure, rien ne flétrit son charme de matin d'été ; elle refuse même les grâces de septembre.

28 janvier.

Le désintéressement de Médéric est admirable ; il vit pour sa cause ; il mourra pour elle ; littéralement, il est prêt à tout. Ce qui ne l'empêche de nourrir au fond de son cœur une attente passionnée du pouvoir. Il besogne sans espoir de récompense ; mais sa récompense, s'il doit la recevoir un jour, ce ne sera ni la richesse (je ne le vois pas vivant ailleurs qu'entre des meubles de bois blanc, au sixième étage d'un building ouvrier) ; ni les femmes (cet apôtre de la liberté sexuelle est radicalement monogame, et toujours sa Marcelle lui suffira) ; ce sera d'être assis seize heures par jour devant une table de commissaire, de manipuler trois téléphones, de fatiguer six secrétaires et de décider souverainement de la vie et de la mort de ses semblables. Quant à moi, je comprends mal cette passion. Gouverner ne me dit rien. Gouverner n'aurait à mes yeux une signification esthétique et une valeur morale que si c'était dominer et contraindre les puissants; mais c'est toujours, finalement, opprimer des faibles : la nature et l'instinct y suffisent, à quoi bon y ajouter la raison et la méthode ? Une révolution qui réussit devient un gouvernement; à partir de ce moment, elle cesse de m'intéresser; car elle est à son tour un système de privilèges peints en lois, qui écrase des hommes. « Tu es un esthète et un anarchiste », me dit Médéric, et je lui rétorque : « Tu es un militaire et un prêtre. » Nous devons avoir raison tous les deux.

1er mars.

Par crainte d'une perquisition, Médéric a dû camoufler pour quelques jours des documents importants. Il ne savait où les mettre. J'ai songé que Reine possède à sa banque un coffre personnel, et je lui ai demandé de les prendre en dépôt. Elle n'a pas hésité une seconde. Cocasse de voir l'héritière des Aupetit de Chignac conspirer pour le parti communiste! Je ne sais trop ce qui la pousse : plaisir du jeu, vertige d'aventure, souci de me plaire. En tout cas, son geste lui a valu la considération de mes amis, et à moi, par carambolage, un regain de prestige.

Le plus drôle est que l'Oncle a eu justement besoin d'aller à son coffre avec elle pendant que nos papiers y étaient. L'aisance avec laquelle, sans la moindre apparence de remords, elle inventa des prétextes pour différer la visite, m'a plongé dans l'admiration. « La franchise d'Irène » est cependant un dogme et un poncif de la famille : Irène-qui-dit-toujours-ce-qu'elle-pense, Irène-qui-est-Saint-Jean-bouche-d'Or... Non, elle ment très bien; par exception ou par habitude, je ne sais; mais le fait est là.

Notre bonne entente, nos fréquentes sorties, et surtout l'influence que je prends sur elle exaspèrent l'Oncle. Ce n'est pas pour me déplaire. J'ai le sentiment d'un retour mérité des choses : c'est comme si je recouvrais une vieille créance de Paçois. Du moins, je me donne cette excuse pour mener mon jeu en tranquillité d'âme. Mais je ne puis me cacher toujours que c'est une excuse, et que je l'invente justement parce que ma conscience n'est pas tout à fait en paix. La situation est pour le moins anormale. (Mais par rapport à quelles normes? Contrarie-t-elle seulement les conventions morales d'un milieu déterminé, celui de la bourgeoisie française chrétienne, ou offense-t-elle les lois d'un ordre fondamental, un sentiment inné de la pudeur et de l'honneur? Je me casse la tête sur cette ambiguïté.) Les instants les plus précieux — je n'ose écrire les plus comiques — sont ceux où, Reine lâchant une parole un peu vulgaire (cela lui arrive), nous avons, l'Oncle et moi, le même rebroussement du poil, la même grimace de la lèvre, mi-amusée mi-souffrante. Je le rencontre alors dans un sourd petit chagrin conjugal que je soupçonne qui l'a souvent égratigné; et une complicité inattendue et fugitive se lie entre lui et moi.

15 avril.

Annou, qui nous accompagnait souvent dans nos sorties, manœuvre visiblement pour s'y soustraire. Je ne la soupçonne d'aucune jalousie : ce qui la blesse dans notre intimité, c'est ce qu'elle a d'effectivement équivoque. A-t-elle un soupçon sur ma naissance ? Je n'en serais pas surpris. Mais ne fussé-je ici qu'un neveu et non un fils, la place que je prends dans le cœur de Reine, la nuance d'affection que celle-ci me témoigne et l'espèce de décomposition de sa conscience morale qui se produit sous nos yeux, suffiraient à expliquer l'inquiétude d'Annou. J'ai écrit : *décomposition ;* c'est *émancipation* que je devrais dire. Mais il y a des moments où, moi-même, j'ai peur pour Reine : je trouve que l'expérience réussit trop bien, mon propre pouvoir me donne le vertige. Était-elle née assez forte pour porter sans danger le poids de la vérité et de la liberté ? Ne vais-je point la *perdre ?* (Ça y est ! encore leur vocabulaire chrétien qui me revient !)

Je voudrais rassurer Annou. Mais il faudrait, pour cela, lui mentir. Et elle est quelqu'un à qui l'on ne peut dire que la vérité. Peut-être faudrait-il avoir le courage de la lui dire toute, de lui demander conseil et secours. Mais, non : elle est aussi de ces êtres clairs devant qui l'on se sent gêné de porter en soi des lambeaux de nuit. On les leur cache ; et l'on voudrait se persuader que c'est par révérence. Au fond, ce n'est peut-être que par honte.

10 mai.

Dans sa critique des mécanismes sociaux, dans son expérience de la tactique révolutionnaire, dans la rigueur de ses convictions et de sa volonté, Médéric est admirable. Mais sa métaphysique est décevante, son esthétique puérile, sa morale vulgaire. L'homme est un produit de la société, son bonheur a pour condition la puissance et l'équilibre du régime de la production ; et la révolution, qui instituera le meilleur régime, est l'unique nécessité, l'absolu par rapport auquel se résolvent tous les problèmes, se classent toutes les valeurs. Bon. Mais que deviennent là-dedans la médidation de Pascal, le tragique de Racine, le pathétique de Beethoven ?

Médéric a deviné le sourd tourment que je me fais d'aimer la femme de mon père, il s'en moque. « Rouille de morale christiano-bourgeoise », dit-il, et il voudrait m'en décaper. Il paraît que les histoires de peau et de cœur n'ont que l'importance qu'on leur donne, qu'elles ne deviennent critiquables qu'à partir du moment où elles font baisser l'énergie et divertissent de l'action; qu'à ce point de vue les remords et les scrupules sont plus à redouter que les prétendues fautes de la chair. Le plus curieux est que Médéric, en professant cette morale, en suit une autre, sinon monastique, au moins ascétique, et que c'est par une sorte d'intempérance de logicien qu'il la tire de son matérialisme.

En somme, puisque Reine veut bien cacher dans son coffre les archives du parti; puisque son mari est un produit inutilisable de la culture bourgeoise et même un suppôt du régime capitaliste, ce qui pourrait exister entre elle et moi et ce que je puis faire de vilain contre lui ne pose pas de question : tout est dans l'ordre. — Mais, je sens bien que c'est une façon grossière de toucher aux choses morales : se trouve exclue justement la perspective d'instincts supérieurs dans laquelle, par exemple, la lecture de « Phèdre », me bouleverse. En quoi m'intéresserait une civilisation où Racine, où Pascal, où Beethoven ne seraient que les témoins d'une sensibilité périmée, et non les hérauts d'une humanité permanente ? (Diable! Je vais vers l'Oncle. L'humanisme a la vie dure.)

5 juin.

Week-end en forêt avec Jean-Louis Dutilleul. Pourquoi ce garçon simple et clair veut-il capter mon amitié réticente ? Rien de commun entre nous que de ramer sur le même banc, vingt-quatre heures par semaine, dans notre crasseuse galère Khâgne; et aussi d'entendre nos noms souvent accolés en tête des compositions trimestrielles. Scout catholique, militant d'action sociale, visiteur des pauvres; milieu bourgeois, de culture traditionnelle et de moralité solide; six frères et sœurs, dont un apprenti Jésuite; enfin, tout ce qu'il y a de bien ! Pauvre Jean-Louis ! ses attentions à la fois me touchent et m'excèdent; je suis sa *B.A.* de chaque journée; je suis la brebis de choix qu'il faut discrètement ramener au bercail, le frère malade à guérir de la tentation du désert. Je m'en veux de lui en vouloir, car il m'aime; et non moins d'accepter ses gentillesses, de ne pas le renvoyer sur le four avec ses certitudes, ses grâces et ses vertus.

Donc, le projet vingt fois éludé, j'ai fini par y consentir : deux jours de marche et de recueillement dans la chère nature. Poésie routière du départ à l'aube, sain engourdissement de midi, extase attendue d'un coucher de soleil Ile-de-France, avec un angelus fêlé et des meuglements bucoliques derrière les peupliers dorés et tremblants. Jean-Louis, qui n'a pas beaucoup d'imagination, proposait Chartres, et il aurait débobiné du Péguy à longueur de kilomètres. J'ai, tout de même, obtenu un itinéraire plus païen et moins sublime : la forêt de Fontainebleau. Profitant de la pleine lune, nous avons marché une partie de la nuit, et campé sur les hauts rochers de Franchard. Extraordinaire impression d'immobilité, d'absence humaine, de lumière blanche et un peu rose sur l'horizon brun et bleuâtre. Jean-Louis exultait, s'exaltait au point de convergence de ses tendresses essentielles : son naturisme et son christianisme. « Que ce monde est beau, murmurait-il, et plein de Dieu! » Et il citait pêle-mêle des vers de Virgile, des bouts de psaumes, des versets de Claudel. — « Et Bernardin de Saint-Pierre, lui demandais-je, pourquoi l'oublies-tu, cet autre doux imbécile, avec ses melons bienveillants offerts en tranches et ses puces providentiellement trahies par leur robe? » Le démon de la contradiction m'instillait la froide ivresse de haïr cette lumière de métal sourd, ce ciel absurdement semé de diamants morts, cette terre hérissée et féroce; là où Jean-Louis ne voyait qu'amour, ordre et bonté, il n'y avait pour moi qu'ombres et cris de rapaces, plaintes de bêtes désireuses ou possédées affamées ou saignantes, tout le non-sens du chaos vital, tout le carnage, toute l'énorme peur de la nuit. Et je me réjouissais de connaître que, parmi cette immensité de sommeil et d'inconscience, il n'était rien d'intéressant, rien de vivant au sens où vivre est valable, rien d'absolu et rien de divin que moi, ma pensée, mon inquiétude, ma volonté et mes pouvoirs. « Les hommes sont endormis, susurrait Jean-Louis, les péchés sont abolis; il reste les anges. — Oui, répondis-je, et, Dieu merci, les mauvais anges : méfie-toi, Jean-Louis, je suis Lucifer... »

Je m'éveillai seul, au matin : mon saint compagnon avait été chercher dans la vallée sa messe quotidienne. Il revint radieux, et toute la journée déborda en actes d'adoration et d'amour. Au fond, Jean-Louis me hérisse dans les mêmes régions de ma conscience que l'Oncle. Ah! les bons idéalistes, comme ils savent s'évader dans le bleu et se délivrer à bon compte de l'angoisse de vivre! Comme ils font bien en même temps leur salut et une carrière! Et encore, l'Oncle conserve une inquiétude, un sourd cancer de l'intelligence; il n'est pas sûr, il penche parfois du côté rationnel, du remords et du désespoir. Au lieu que Jean-Louis, plus mystique et plus pur, n'a pas de doute; il pense être quitte avec l'injustice parce qu'il vote démocrate et parce qu'il apporte des bons de soupe à des miséreux; il se meut à l'aise dans le bel univers sphérique de son catéchisme, où la Sainte Trinité garantit tout : l'incorruptibilité des essences, la bonté de la création, le sens providentiel de l'histoire, l'infaillibilité du Pape, le dogmatisme ingénu des vicaires de village et des poètes catholiques. Il est le dévot satisfait, l'humaniste en état de grâce : il me donne encore plus envie de jurer et de mordre.

21 juin.

Greffulhe a dîné hier à Neuilly. Déjà couvert de relations, il parle familièrement des acteurs, des écrivains, des peintres. Reine était enchantée. Son goût pour les arts d'avant-garde sent un peu l'attitude, mais elle y met plus de sincérité que l'Oncle n'a l'air de le croire : elle se délivre, elle va vers la vie jaillissante, elle préfère ce qui sent fort à l'odeur du moisi.

L'Oncle a d'ailleurs été brillant. Il ne comprend à peu près rien à la peinture d'aujourd'hui, mais il sait pourquoi il ne comprend pas; il finit donc par dire des choses assez sensées. Il voit très bien ce que notre génération demande à l'artiste : non une réplique de ce qui est, mais des objets purs, des harmonies arbitraires, une autre nature. Et il n'a pas tort d'interpréter ce goût comme une volonté de sécession, un refus forcené du monde et de la société tels qu'ils sont. Oui, la postérité de Rimbaud : le « temps des assassins » continue. — « Seulement, dit-il, attention à ne pas sortir des mesures de l'homme! L'artiste ne crée rien de grand sans déformer la nature, mais non plus sans prendre appui sur elle. L'art de la Renaissance était païen, parce qu'il rejetait l'univers de la Révélation et de la Grâce, mais il n'était pas luciférien car il appréhendait d'abord la nature, il l'assumait, il la vénérait même. Au lieu que le vôtre, que vous prétendez démiurgique, est en vérité démoniaque; vous bouleversez les plans de la création, vous élucubrez non seulement ce qui n'est pas, mais ce qui ne peut pas être, vous refusez l'ordre des choses et les lois du monde. » — Reine, ayant coupé maladroitement que les peintres contemporains savent, aussi bien que leurs devanciers, quand ils le veulent, attraper la ressemblance, il triompha : « Bien sûr! Comment feraient-ils autrement? Ils ont beau dire le contraire, ils sont bien obligés de prendre des sujets, et pas seulement des prétextes; ils peignent des corps, des fleurs, des arbres, des maisons. Mais alors, incapables d'inventer une autre nature, ils se contentent de saccager celle qui leur est donnée; ils substituent à ses harmonies fondamentales des dissonances concertées, des laideurs inventées. Ils imaginent des visages à trois yeux, des femmes à deux têtes, toute une faune de monstres et de coquecigrues. Ce qu'on appelle leurs inventions géniales, neuf fois sur dix, c'est ce que Vinci eût appelé une défaillance de l'observation et Ingres une faute de dessin. » — Greffulhe objecta les méfaits de la tradition, l'usure des poncifs, et le fait qu'un grand artiste commence toujours par être un iconoclaste. — « Oui, a-t-il répondu, mais ce qui fait le grand artiste, ou plutôt la période d'un grand art, ce n'est pas de casser des statues, c'est d'en faire d'autres. J'admets même que votre art cauchemardeux et tératologique, faussement ingénu et savamment puéril, possède une valeur de signe, qu'il soit la transcription symboliquement exacte d'une civilisation qui a perdu sa table de valeurs et d'une humanité qui a peur d'elle-même. Bon! il fallait passer par là; mais n'augmentez pas le chaos par la complaisance au chaos; ne prolongez pas le délire par l'excitation systématique de la fièvre. Vous devez en sortir; sinon, vous aurez tout manqué. »

Médéric assistait à la conversation, et j'ai été frappé du fait qu'il donnait raison à l'Oncle plutôt qu'à Greffulhe : devant le bourgeois humaniste, il se sent un héritier, un homme de gouvernement; il prépare un ordre. C'est joué d'avance : le communisme triomphant devra ouvrir des académies, et probablement créer un académisme. Le surréalisme de Greffulhe est plus intelligent, mais sans valeur politique; au sens propre du mot, il n'est pas viable : il correspond à une phase de désintégration et de délectation morose, non de construction et de grandeur.

L'Oncle a fini en ramenant son dada : il voudrait que quelque Académie de Dijon bien inspirée, pour forcer enfin le génie attendu à paraître, mît au concours le sujet suivant : *Ayant considéré ce que les quatre-vingts dernières années d'activité de l'esprit ont apporté, en élargissement et approfondissement de la conscience humaine, au-delà du domaine intellectuel de la Renaissance, refaites un Discours de la Méthode.* Après tout, ce n'est pas si bête; il faudra bien revenir à une solidité.

Chignac, le 14 août.

Reine, dans son Périgord, est amusante à voir : elle reprend l'accent, se bourre de foie gras, cause des heures d'horloge avec les gens du village; elle en est, elle s'y enfonce, elle retrouve ses racines et reçoit une giclée de sève. Nous faisons de longues promenades à pied, elle me découvre les paysages qu'elle aime. « Viens, m'a-t-elle dit, que je te donne mes vacances de petite fille. » Elle a ajouté, plus bas : « Personne ne me les a jamais demandées. »

De son camp de routier, Jean-Louis m'écrit une longue tartine sur l'amour, sur le mariage, sur la poésie et le bonheur du foyer. Je suppose qu'il est amoureux d'Annou : ils se sont rencontrés plusieurs fois cette année, je crois même qu'ils ont dansé ensemble au bal de Louis-le-Grand. Ils devraient s'entendre, ces doux chrétiens! Eh bien! non, pas tellement. Lui, transi devant elle, mais elle plutôt froide. Curieux : elle est plus gentille, plus spontanée avec Médéric, qui méprise absolument ce qu'elle représente et qui la regarde à peine.

Décidément, je ne puis m'entendre avec les chrétiens. Je les trouve dangereux quand ils ajoutent de l'ombre à notre condition misérable, quand ils appellent notre unique et précieuse existence une « vallée de larmes », et nous détournent d'aimer et d'embellir la terre; mais plus insupportables encore quand, à la manière de Jean-Louis, ils se jettent à raison perdue dans les bonnes pensées et les bonnes œuvres, dans un optimisme d'illusion qui leur cache jusqu'au paradoxe de leur foi. Ah! Jean-Louis, si tu savais à quel point je souhaite sur ta vie un grand vent de péché et de malheur! Non que je te haïsse, non que je sois jaloux de ta paix : je n'en voudrais pas pour une éternité de joie. Mais parce qu'il faudrait qu'enfin tu comprisses ce que tu dis quand tu murmures du bout des lèvres ton « De Profundis »; parce que je déteste ta façon tranquille de dissoudre l'angoisse humaine dans une fausse sécurité, de cacher derrière une vapeur d'encens le scandale formidable de l'injustice, de la souffrance et de la mort. Savoir, Jean-Louis, qu'il y a le mal incontestable, inconvertissable en bien, et qu'il n'est de noblesse que de le combattre sur les frontières où il peut reculer, et de protester contre lui dans sa profondeur fatale; et si Dieu est un prétexte à la soumission de l'homme, refuser Dieu.

20 août.

A propos de Jean-Louis, une surprenante conversation avec Annou. « Voyons, lui ai-je demandé, voilà un très chic garçon, intelligent, généreux, qui t'admire et qui t'aime. Vous avez la même foi, les mêmes idées. Et cependant, visiblement, il t'ennuie, tu n'as pour lui qu'une sympathie mitigée. Pourquoi ? » — Elle a souri et m'a répondu : « Pour les mêmes raisons qui font que Jean-Louis t'agace. Il est trop tranquille, vois-tu, il est trop content. Je dirais presque : il est trop saint, si je croyais que la sainteté pouvait être cette sorte de quiétude nourrie de cantiques et de chansons de route. Tant qu'on n'a pas tout donné, tant qu'on n'a pas tout guéri, comment peut-on se sentir en paix ? Comment se réjouir de la beauté des choses et se complaire dans un petit bonheur sage tant qu'il y a un innocent qui souffre et une âme qui pèche ? » — « Et pourtant, dis-je, c'est bien cela, votre religion chrétienne : la grâce à bon marché, le salut facile, et une paix qui n'est qu'une trêve un peu lâche avec l'égoïsme et l'esprit du monde. » — « Mais non, Denis, tu te trompes. Le christianisme, ça n'est pas si gai : c'est la connaissance d'un monde où le règne de Dieu n'arrive pas, où le Christ ne cesse de souffrir et de saigner, car la Croix est toujours debout, et le mystère de la Rédemption continue. Comment puis-je oublier qu'à l'instant où je parle, à chaque instant où je pense et où je vis, où je suis tentée de me sentir heureuse, la justice est bafouée, l'amour méconnu, le pauvre a froid et faim, le riche perd son âme ? Car enfin, tu penses! cet univers où il n'y aura jamais la joie totale, puisque l'enfer est éternel, et où il n'existe plus nulle part la plénitude du bonheur, puisque Dieu lui-même, au sommet de sa création subit nos offenses et venge sa justice. Et puis, ce déchirement, ce paradoxe, cette contradiction insurmontable entre le devoir d'être parfait et la perfection radicalement impossible à notre nature. » Elle ajouta, d'une voix plus sourde : « Il y a pis encore, le spectacle des êtres qui se perdent, de ceux qu'on aime le plus, et qu'on voudrait à tout prix, fût-ce à celui de son propre sang, arrêter sur la pente du mal; mais ils ont un bandeau sur les yeux, ils ne voient rien, ils n'entendent pas, ils courent vers le gouffre comme un bétail fou... »

Elle a rougi un peu, craignant que l'allusion ne fût trop claire. Évidemment, elle souffre de l'amitié qui se noue entre sa mère et moi. (Pourquoi est-ce que j'écris *amitié ?* Est-elle franche et courageuse, cette peur des mots ?) — Après tout, de quoi se mêle-t-elle, cette enfant ? Qu'elle nous fiche la paix ! Je l'ai laissée à son sublime tête-à-tête avec le Seigneur, et j'ai été rejoindre Reine au jardin.

Neuilly, le 9 novembre.

Jean-Louis et Médéric ne se connaissaient pas, j'ai eu la curiosité de les réunir. Ils n'ont guère accroché, c'était à prévoir; mais ils ne se sont pas accrochés non plus : Jean-Louis s'ingéniant à offrir la surface d'une charité chrétienne un peu pommadée, et Médéric opposant un refus plein de dédain à ce qu'il considérait, dans son for intérieur, comme l'expression d'une mentalité prélogique.

Donc, peu de bagarre, mais, entre nous trois, une conversation qui a fini par devenir assez instructive, quelquefois par ses silences mêmes. Jean-Louis a bien attaqué Médéric sur son point faible : sur son idée de l'homme. « Vous prétendez faire la révolution pour l'homme, lui a-t-il dit. Bien mieux, rejetant Dieu, vous voulez que l'homme devienne le maître absolu de son corps, de sa conscience et de sa planète. Soit. Mais l'individu humain, pour vous, qu'est-ce que c'est ? Un petit feu de conscience et de pensée fragile, déterminé par des circonstances physiques et sociales, et qui éclate, on ne sait comment, entre la goutte de sperme et la pourriture du cadavre. Cet animal grégaire qui périt si on le sépare, cet insecte né du hasard, comment s'intéresser sérieusement à lui, à ses amours, à ses droits, à sa mort ? Une logique invincible vous conduit à le mépriser, à le traiter comme un moyen, ou comme un matériel d'expérience, et non comme une fin et comme une incarnation du sacré. » — Médéric a répondu qu'il rejetait par principe ces considérations métaphysiques où la pensée ne peut que s'obscurcir et la volonté se détendre. Il possède un système d'évidences : l'homme est aliéné et doit devenir libre; la Révolution est aujourd'hui la seule voie possible pour fonder une morale supérieure.

Tout le reste est idéologie périmée, donc périlleuse. — « J'admets, a dit Jean-Louis, que vous puissiez être sûrs pour aujourd'hui : mais pour demain ? La Révolution accomplie vous devez construire à votre tour une culture, une esthétique, une éthique. A partir de quelle idée ? Que le bonheur est le bien-être ? Vous ferez un monde pire que le monde bourgeois. » — « Non, car il sera fraternel, et il n'y aura plus d'exploités. » — « Entre des êtres qui devront se considérer comme des complexes d'instincts et de besoins passagers, le sentiment de la communauté doit dégénérer bien vite dans un échange intéressé de services. Alors, où trouverez-vous, parmi les délices de votre paradis économique, l'élan qui projettera votre poésie vers le sublime, votre morale vers l'héroïque ? » — C'est moi qui ai répondu : « Probablement dans le désespoir. » Mais cette réponse leur a déplu à tous deux.

Une chose me frappe chez Jean-Louis, comme d'ailleurs chez Annou : tout ce qui est de l'homme leur paraît avoir une énorme importance; nos moindres gestes engagent une éternité; tout ce que nous faisons, voulons ou concevons, c'est toujours en présence d'un Dieu qui voit tout et sait tout; et tous les instants spirituels de tous les êtres sont intégrés dans une immense équation de justice, où tout acte, toute volonté, toute pensée doit se retrouver avec son signe et sa valeur. A priori, cette idée me semble intolérable; elle complique, elle surcharge effroyablement l'existence des éphémères que nous sommes; elle nous ôte le plaisir de l'inconscience, le charme de la fantaisie, l'ivresse de la gratuité; et elle nous prive, finalement, du sentiment de la liberté. Car est-ce encore être libre que de choisir son acte sous le regard d'un maître toujours prêt à le sanctionner selon les commandements de sa loi ?

Et cependant, même si elle est illusion, cette vue de notre destin a de la grandeur. Une civilisation n'est possible qu'à partir d'une valeur reconnue à l'homme. Et l'on voit bien comment, des prémisses du christianisme, une grande civilisation a pu naître : art, littérature, philosophie, tous les actes de l'intelligence bénéficiaient de cette infinitude supposée dans l'être qui en était en même temps le sujet et l'auteur. Une conception dramatique de l'existence devenait possible, le relatif y résonnait constamment dans l'absolu, et l'instant dans l'éternel. Mais nous ? Il faut être Médéric pour ne pas imaginer le problème qui nous attend dans notre victoire.

1936

Neuilly, le 4 janvier.

Les heures de musique sont ici les seules qui m'apaisent; il arrive même qu'elles me comblent. Hier soir, Reine s'est mise au piano et, sans que je les demande, elle a choisi les mélodies que je préfère. Autant que je vieillisse, je ne perdrai jamais le souvenir de l'après-midi d'Hardelot où, pour la première fois, je l'ai entendue chanter. Je n'avais pas dix ans, je n'avais encore échappé à l'étouffement de notre vie aigre, pauvre et muette que par la conversation douce de Paçois — ces longs discours de Paçois, un peu balbutiants, qui souvent n'étaient pas pour mon âge, mais que j'aimais pourtant parce qu'ils m'enveloppaient de tendresse et d'honnêteté, et parce que j'y cueillais, çà et là, une idée qui faisait en moi de la lumière. Et tout d'un coup, voilà que je rencontrais la poésie et la musique, je découvrais qu'à certains instants d'élection, par la grâce du chant, l'écorce durcie de la conscience éclate, laisse jaillir des nappes profondes un absolu de joie et de vérité. Et maintenant, chaque fois que j'entends cette voix se balancer entre l'aigu et le grave, onduler sur certaines lignes mélodiques, vibrer en sonorités surnaturelles, c'est la même révélation, le même retour à un bonheur sans forme et sans nom.

Voilà le don merveilleux que j'ai reçu de Tante Reine. Mais — et c'est étrange à penser — ce qu'elle m'offre, je ne suis pas sûr qu'elle le possède; ce paradis d'outre-terre dont elle détient la clef, je me demande si elle en a l'accès, le désir, ou fût-ce le pressentiment. Quand elle cède à son goût, elle chante des inepties sentimentales; et je ne sens jamais, dans son caractère à la fois nonchalant et positif, ce parfum de haute aventure, ce pathétique souverain que, musicienne, elle dispense. Quoi donc? Ces vibrations de son timbre qui semblent remonter d'un insondable abîme intérieur, ne sont-elles, en vérité, qu'un souffle heureux qui passe par hasard à la surface d'une âme endormie? Cela me fait penser à un vieux chien qu'avait Paçois et que nous aimions beaucoup; assis devant la cheminée, il fixait des heures entières dans le vague un regard magnifique d'éloignement, de sagesse et de bonté. « Tu vois bien qu'il pense, me disait Paçois; il sait des choses que nous ignorons; peut-être voit-il Dieu. » Or ce chien était bête, il aboyait toujours à contretemps, il perdait les os qu'il enfouissait dans le jardin, et je suis bien sûr qu'à prendre les mots dans leur sens exact, il ne *pensait* pas, il ne *voyait* rien ; et c'est pourquoi, peut-être, son regard semblait si lointain, et si beau. C'est peut-être parce que l'âme de Tante Reine est vide qu'elle est si mystérieusement sonore. Pourquoi Rien ne serait-il pas Tout ? Pourquoi l'ultime profondeur de l'esprit et du monde, que nous imaginons pensée et plénitude, ne serait-elle pas inconscience et vacuité ? — Et pourtant, même si le chien de Paçois ne voyait rien, nous imaginions qu'il contemplait quelque chose ; même si Tante Reine ne comprend pas le sens de son chant magique, c'est tout de même comme si nous recevions d'elle un secret. Ce quelque chose, ce secret, d'où nous en vient l'idée ? Il serait reposant de douter de tout ; mais dès qu'on aime, dès qu'on regarde ou dès qu'on écoute avec un peu d'amour, on n'est plus certain que la vie ne signifie pas ; et l'on tremble de peur et d'espoir à sentir entre ses mains ce don inexplicable, pesant et chaud.

15 janvier.

Étranges, mes rapports avec Annou. Sa présence et la muette réprobation de sa pureté me sont à charge ; et moi, sans le vouloir, je la fais souffrir. Nous nous gênons, nous n'avons pas la même foi ; nous devrions, sinon nous détester, au moins nous combattre. Non ! rien n'altère notre amitié sourde et pudique, notre entente à demi-mot. Et quand par hasard nous sortons du silence où nous enferme une pareille discrétion, nous nous sentons invinciblement fraternels.

Je conserve cette lettre qu'elle m'envoie d'Angleterre, où elle séjourne chez une amie. Elle n'avait jamais parlé avec autant d'ouverture.

(Épinglée au carnet de Denis, la lettre d'Annou.)

Bournemouth, 6 janvier

« *Merci de tes vœux, mon cher Denis, et reçois les miens. Tout ce que cette année doit t'apporter de bon; et d'abord ton entrée à l'École. Tout ce qui sera pour toi du vrai, du solide bonheur. Faut-il que je souhaite le succès de ton activité politique, les progrès de ton parti ? Tu comprends que, faire des vœux pour le communisme, ce serait un peu gênant pour moi, pour l'espèce d'Enfant de Marie que je te parais être, et, de surcroît, pour la fille du professeur Gilbert d'Aurignac ! Non, si je votais, je ne pourrais soutenir tes amis. Et pourtant, ne crois pas que je te condamne, que je supporte d'une âme égale ce qui t'indigne, que je ne souffre pas de ce qui te fait souffrir.*

« *Vois-tu, mon vieux, je crois bien voir maintenant ce qu'il y a entre nous de commun, et le carrefour de notre divergence. Nous avons l'un et l'autre la haine du mal, le sentiment aigu et douloureux d'un désordre qui existe, et qui pourrait ne pas exister, dont on peut et dont il faut sortir. Mais, ce mal, tu le mets hors de nous, dans les choses et dans les lois, dans les duretés du monde et dans les iniquités sociales. La souffrance du corps, la mort physique, la misère des foules, l'exploitation des faibles, la tyrannie hypocrite des puissants, voilà ce que tu appelles le mal. Et, sans doute, il y a ces malheurs et il faut tâcher d'y porter remède. Mais je ne pense pas, moi, que ce soit là, vraiment le mal dans son essence, le mal à sa source et dans ses causes : celui-ci, il est en nous, dans notre volonté, dans notre âme. Et c'est celui dont la présence m'obsède, et qu'il importe de refuser et de vaincre.*

« *Mais je sens bien aussi ce qui nous lie, ce qui nous allie, malgré tout ! Plus graves que la génération de nos parents : car nous ne pouvons plus respirer l'air de leur monde, de l'affreux monde où règnent l'argent, la vanité, l'hypocrisie, l'égoïsme. Moins désolés pourtant, moins chagrins et moins craintifs, n'ayant pas comme eux, dans le déclin de la civilisation à laquelle leur sagesse et leur bonheur étaient accrochés, le sentiment d'un naufrage définitif; mais, au contraire, un espoir d'aventure.*

« *Tant d'ombre encore, si lourde et pleine, autour de nous! Les enfants du soir, Denis, voilà ce que nous sommes. La joie ne nous fut pas donnée, et nous ne pourrons la conquérir que par d'âpres voies. Nos parents sont déçus et amers, parce qu'ayant connu une belle journée, ils la regrettent et craignent d'être trop vieux pour traverser la nuit. Nous sommes inquiets et tendus, parce que nous n'avons pas encore vu la clarté, ni celle du jour qui tombait à l'heure de notre naissance, ni celle du jour prochain dont le pressentiment à la fois nous accable et nous enfièvre. Et pourtant nous savons qu'il y aura demain; et ce n'est pas notre affaire d'ensevelir les morts.* « *Tant d'aurores n'ont pas encore lui!* » *dit le sage hindou. Nous sommes les enfants d'un soir triste; mais nous attendons, nous portons une aube.*

« *Adieu, Denis, il ne peut y avoir qu'une lumière. Si le rayon que chacun vénère en son cœur est pur, il remonte vers l'unique foyer en lequel tout amour se rejoint et se consomme. Je t'embrasse.*

« *Annou.* »

21 février.

Cette fête de la décoration! Je m'en faisais d'avance un plaisir méchant, mais je n'imaginais pas devoir être aussi bien servi.

Il est content; il fait semblant de s'en moquer, mais il est content. Il a son insigne, il est marqué : où qu'il entre, chez son concierge, chez son libraire, dans l'autobus, il a maintenant une manière discrète d'avancer l'épaule gauche, qui dit bien ce qu'elle veut dire : Attention ! regardez! Je suis quelqu'un de mieux qu'un Français moyen. Il a correctement joué le jeu, il est du côté des maîtres; à une petite place, bien sûr, mais du côté des maîtres; et c'est l'essentiel. L'inquiétude métaphysique, les rêveries sentimentales, les audaces critiques, les velléités révolutionnaires n'ont pas empêché le petit travail quotidien, patient, consciencieux pour la cause des maîtres. La science historique a été mise congrument en boulettes inodores, insipides et inoffensives à l'usage des fils des maîtres, qui seront des conseillers d'ambassade comme il faut, des journalistes bien élevés et, quelques-uns, des professeurs éminents, dévoués à servir à leur tour les intérêts, les préjugés, la bonne conscience des maîtres... Dans un plateau de la balance, tous les beaux tourments de la culture, amoureusement caressés (moitié sincèrement, moitié pour la satisfaction intime de se juger distingué) : l'angoisse de Pascal, la mélancolie de Chateaubriand, la perplexité de Gide, les scrupules de Tolstoï. Dans l'autre plateau, un bout de ruban rouge; et la balance de l'âme, comme il dirait, penche à la fatuité de Joseph Prudhomme. « Cette croix est le plus beau jour de ma vie. »

On n'avait pas reculé devant la dépense. Fleurs partout, serveurs en frac, foie gras, petits fours, Veuve Clicquot de la bonne année. Lui : jaquette, pantalon rayé, gilet souris, cravate bordeaux — l'uniforme, et bien porté; très « carrière », presque Jockey-Club. (Au fond, il aurait aimé le monde : les grands salons, les champs de courses, les villégiatures à la mode, et le Stendhal-Club, à défaut de l'Institut, pour donner l'avoine à l'esprit). Du style, de la verve et de la hauteur, il faut en convenir; moins crocodile empaillé, moins mandarin, moins gras que les autres. Reine étrennait pour la circonstance une robe antipathique, d'un violet tirant trop sur le pourpre, comme d'un évêque qui veut se faire passer pour un cardinal. Toujours à l'heure et toujours dans le ton, elle avait éprouvé le besoin d'aplatir sa coiffure, de s'engoncer, de se vieillir, de jouer l'épouse d'un candidat possible pour l'Académie des Sciences morales. Même le regard d'Annou avait perdu de son ingénuité : une ombre un peu sotte de satisfaction familiale, une fumée de conventionnel y traînait, l'accordait à la cérémonie. J'étais seul à vouloir casser les assiettes; personne avec qui échanger l'ironie et la haine; cela gâtait mon plaisir.

Une cinquantaine d'invités : la haute Université, le Quai, les Sciences Po. Je ne les connaissais pas tous, mais j'en savais assez de quelques-uns pour les reconstruire, et pour imaginer les autres : travail aisé sur des fossiles. Car j'étais en pleine paléontologie. La plupart ne s'en doutent pas, mais ils n'existent plus : ils ont encore des chaires, des postes, des fauteuils, un peu d'argent, un semblant d'influence, mais dans une comédie qui n'intéresse plus qu'eux-mêmes; la vie, l'histoire ne passent plus par eux. Leurs grands-pères et un peu leurs pères ont existé; ils étaient dans la bonne phase, ils ont fait le capitalisme et la démocratie bourgeoise; eux, ils ont hérité, ils ont continué, ils continuent; mais ils ne créent plus rien, ils n'inventent plus rien; et comme la phase se renverse, ils vont se trouver bientôt sans fortune, sans pouvoir, sans honneurs; leurs « valeurs », dans les deux sens du mot, tombent en quenouille. Avec leur chère culture classique, leur petite conception superficielle de l'histoire, leur individualisme dédaigneux et leur libéralisme menteur, ils n'existent plus, ils n'entraînent plus rien; ils tournent encore, mais ils sont débrayés. Les plus intelligents le savent, et les plus francs le murmurent; les autres ne l'ignorent ou n'en font secret qu'à force de prudence et de restriction mentales. Et c'est pourquoi, sans doute, ils ont cet air morne, cet uniforme noir, ces conversations toujours circonspectes et plaintives, cette politesse assourdie, quand ils échangent ce qu'ils osent livrer de leurs pensées : ils sont toujours à un enterrement; à leur propre enterrement.

Je crois que j'ai compris aujourd'hui la raison radicale et vitale pourquoi je vais avec les communistes. Je ne me fais pas sur eux d'illusions mystiques; je vois bien qu'ils ne sont pas toujours intelligents, pas toujours aussi incorruptibles qu'on le dit, ni aussi sincères qu'ils le croient. Mais ils espèrent; ils n'embaument pas des momies; ils ne sont pas les angoissés de l'an mil, et la parousie qu'ils attendent les exalte de confiance et de joie. Je ne veux pas consumer ma jeunesse avec « ces messieurs de la famille »; je refuse la politique des pompes funèbres comme l'esthétique du « Dies Irae ».

L'inévitable Saint-Philippe était là. Plus correct, plus magnifique, plus sentencieux que jamais. C'est lui qui a fait le speach, avec le parfait dosage attendu d'esprit, d'émotion, de familiarité charmante, d'éloquence rênée et de pensées hautes suggérées allusivement. Au moment de l'accolade « au plus cher ami de ma jeunesse », la buée à l'œil est bien venue. Lui aussi, le récipiendaire, y fut de sa larme; et je ne pense pas qu'elle ait coulé pour ses fautes, ni pour ses victimes; mais bien pour lui-même : il est si bon de s'attendrir sur sa propre vertu! Tout est dans l'ordre, après tout. Le cousin François est un bon mort, relégué dans un paradis où les déçus et les trompés ont reçu de si beaux dommages et intérêts qu'ils se trouvent satisfaits et n'ont plus envie de venir tourmenter leurs créanciers terrestres. L'ancienne maîtresse est à l'abri, elle a une rente, son pain quotidien, et elle glisse vers une folie douce dont il n'y a rien à craindre, puisqu'un seul pan de sa conscience demeure inébranlable, l'orgueil qui l'empêchera toujours de se plaindre et de parler. Le bâtard aussi est casé, on a trouvé une solution élégante pour retomber sur les pieds d'un homme de devoir et d'un bon chrétien. Donc, la façade est propre, elle est même pavoisée : l'État est content, il décore. Cela vaut bien, n'est-ce pas? une petite joie émue, un pleur discret quand l'homme que secrètement on déteste parce qu'il a mieux réussi et qu'on méprise pour n'être point trop mécontent de soi-même, quand « le plus cher ami de la jeunesse » vous embrasse après une jolie clausule sur l'amitié, ornée de trois mots latins pris à Cicéron.

Toutes les façades bien propres, et toutes pavoisées! Mais qu'y a-t-il derrière, quels mensonges, quels silences honteux, quels ressentiments, quelles vilenies, quels remords? Clauzeilles, le grand, le pur savant, dévoué à l'érudition et désintéressé des hommes, qui ne sait qu'il compose son personnage; qu'il est né vaniteux et ambitieux; qu'il enrage d'avoir toujours été maladroit, d'avoir toujours joué la mauvaise carte, d'être demeuré dans son parti (c'est une haute conscience du socialisme français) le pontife que l'on consulte et que l'on cite, que l'on expose au besoin dans les congrès à la vénération des fidèles, mais dont on n'a jamais pensé à faire un ministre, pas même un sénateur? L'Oncle

— qui n'est pas trop méchant, mais qui aime bien disséquer un bonhomme et découvrir la tare sous l'attitude, — prétend que Clauzeilles est vindicatif, jaloux, perfide, et de ce genre d'hommes plus redoutables à leurs amis qu'à leurs ennemis, parce qu'ils souffrent davantage, dans leur amour-propre suppurant, par ceux qui leur sont le plus prochains. Et pourtant, que de louanges! que d'hommages de l'assemblée à cette idole mal peinte! Que de « Cher Maître, vos admirables travaux..., votre immense autorité morale..., la noblesse de vos idées... »! — A voir Thévenin, si grand, si pâle, si haut de cravate et tout de noir vêtu, entrer dans le salon à pas feutrés, flanqué de Madame, plus grandiose encore, mais le teint et l'accent bourguignons et fendant l'air d'un nez bourbonien, qui n'eût compris qu'il est en même temps le plus grave des directeurs, le plus austère des protestants et le plus digne des pères de famille? Mais tout le monde connaît la paille. Cas banal : à trente ans on a épousé, pour l'argent et pour l'influence du beau-père, une fille laide et sans grâces; elle est jeune, on lui fait tant bien que mal quelques enfants; à quarante ans, on est rassasié, on commence à lorgner timidement vers les demoiselles secrétaires; la femme, acariâtre, et jalouse, se défend, veille nuit et jour sur votre vertu; à cinquante ans, refoulement, obsession, on se renseigne sur les maisons confortables et discrètes pour banquiers de province en voyage et pour sénateurs bien conservés. — Saint-Philippe, c'est autre chose; on a pris dans la finance une femme décorative, et dans l'aristocratie désargentée une délicieuse maîtresse; double disgrâce de découvrir un jour la maîtresse et la femme dans le même lit; finalement, on garde la maîtresse, parce qu'on a du goût pour elle, et la femme, parce qu'on est candidat à l'Académie française et qu'un divorce ferait perdre les voix de la droite catholique; et l'on continue à naviguer dans le monde en éclairant par le sourire d'un homme d'esprit la gravité d'un mainteneur intransigeant de la syntaxe, des mœurs et de la propriété. « Élégance de grand seigneur, forme d'héroïsme », profère l'Oncle en ses jours de bienveillance. Peut-être, après tout. Mais mensonge! mensonge!

Et c'est ce que je leur reproche, à tous ces masques : ils mentent, ils mentent toujours! Leurs intrigues, leurs coucheries, ça m'est égal; je n'ai pas de principes transcendants pour les condamner là-dessus. Mais ils vont déguisés et grimés pour les autres et, finalement, pour eux-mêmes. Ils s'enveloppent d'une noblesse, d'une dignité, d'un contentement de soi, par quoi ils se justifient ensuite aisément de mépriser le peuple, de dominer les faibles et d'exploiter les pauvres. Tous si corrects, si dignes, impassibles ou souriants; mais tous, un crapaud dans le puits. Et c'est pourquoi ils ne laissent approcher personne de la margelle; c'est pourquoi ils s'expriment dans un langage abstrait et poli, comme s'ils avaient peur, toujours, de tirer d'eux-mêmes quelque chose de profond et de remonter la sale bête. Ils ont peur de la vérité; peur de leur vérité!... Que crève la bourrasque! Qu'elle fasse quelques dégâts, tant pis! Mais qu'elle jette par terre ces hautaines masures fissurées! qu'elle balaie le sec et le mort; qu'elle fasse la place nette pour les hommes sincères.

23 février.

Une bête de migraine m'a empêché d'aller au lycée. Cet après-midi, de la fenêtre de ma chambre, j'ai vu l'Oncle partir pour son cours. Plus du tout Jockey-Club : un pardessus de trois ans d'âge, sa vieille serviette de cuir bourrée de bouquins. Il craignait d'être en retard et, pour ne pas manquer l'autobus, il s'est mis à courir dans la rue, gauchement, comme un pantin cérébral — comme un vieux aussi, dont les cheveux grisonnent, dont les épaules s'affaissent, dont les artères faiblissent... Sa lassitude, sa maladresse m'ont touché. Je ne le déteste que victorieux; dans ses fatigues, dans ses doutes, dans ses misères, j'ai pitié; pour un rien, j'aurais tendresse.

Le détester, pourquoi? J'ai relu ce que j'écrivais avant-hier, et je me juge assez atroce. Envers les autres, peu importe, mais envers lui? Méchant, je veux bien l'être, mais pas bête, tout de même; pas m'enferrer dans mon système au point de ne plus savoir que l'homme est double, triple et multiple. L'Oncle, vu à travers le système : un bourgeois épris de respectabilité, drapant ses faiblesses et ses fautes dans un idéalisme conventionnel, jouissant de quelques privilèges dans une société injuste, et résigné à la servir. Mais le même, senti et touché comme individu, dans le drame obscur de son existence quotidienne : un professeur qui prépare consciencieusement ses cours, un fonctionnaire qui ne vole pas son argent, un intellectuel qui ne dit ou ne veut rien qu'il ne croie vrai et juste; un honnête homme, tout compte fait. Il met ses vertus au service d'un régime vicieux, mais quel régime pourrait se passer de ses vertus? — Et puis, il y a la personne profonde, que je pressens et ne connais pas, parce que je refuse de la reconnaître : l'homme des secrètes blessures, des joies et des afflictions solitaires; des espoirs invincibles et des humiliations définitives; celui qui aime et voudrait être aimé, et qui jette des appels sans réponse vers les autres, comme les autres — vers moi peut-être, comme moi...

Les Cormiers. — 3 août 1936.

Rien écrit dans mon journal depuis six mois; c'est un bon signe. Bien travaillé et beaucoup agi : préparé âprement mon concours et réussi. Pas mal démarché, aussi, avec Médéric et son groupe, pour le Front Populaire; connu quelques heures d'enivrante communion avec la foule, de confusion de l'être individuel dans l'énorme flux de l'âme collective. Ah! cette joie, ce repos de ne plus décomposer son propre être, de ne mobiliser l'esprit à rien d'autre qu'à prendre conscience de la grande poussée d'histoire où l'on se jette librement! Le défilé du 14 juillet fut inoubliable : extase brûlante de jeunesse et d'été, atterrement du Paris bourgeois, enthousiasme de la Révolution en marche. Pour la première fois de ma vie, j'ai éprouvé un sentiment religieux; au point de m'en être inquiété après coup.

Donc, j'ai bien vécu, et point trop songé à me regarder vivre. Le plus souvent en dehors de la famille : cela vaut toujours mieux. De Reine même, je ne me suis guère occupé. Depuis avant-hier, me voici de nouveau entre eux trois, et sans doute attendu par mes vieilles colères, par mes plaisirs mêlés, par mes problèmes. Ah! non, rien qui trouble mon bonheur d'aujourd'hui, mon bonheur de demain! Car je suis heureux, et je veux l'être encore; et c'est pour me le dire, pour faire un serment de fidélité à ma joie que j'écris ceci.

Je suis heureux comme il ne m'était pas arrivé de l'être.

Délivré des besognes et des tracas, je jouis de mon repos, de mon succès ; il me semble que je n'épuiserai jamais le vide excitant des grandes journées d'azur, de mer et de musique. Je sens ma santé, je palpe mes muscles, toute ma chair intacte, vigoureuse et docile. Ce beau jouet neuf, mon corps, je sais bien que je ne l'ai que pour un temps court : le prix n'en est que plus démesuré ! Qu'est-ce qui est trop haut pour mon espoir ? Qu'est-ce que le monde peut m'offrir qui m'échappe ? Mes bras sont plus forts que la vague, mon sang se nourrit des substances de l'air et de la terre ; et s'il est des profondeurs des choses et du ciel où mon corps n'atteint pas, mon esprit y va, mon rêve les enveloppe, mon intelligence les transperce. Un garçon de vingt ans content de son être, qu'est-ce qui le distingue d'un dieu ?

8 août.

J'aime cette maison, ses proportions grandes, son luxe de propreté, ses pénombres de midi, son jardin comme un damier d'ombrages et de pelouses soleilleuses. Maison « bourgeoise » eh oui ! et presque gentilhommière. Me suis-je assez gaussé des instincts propriétaires de l'Oncle ! « Certains de *mes* arbres ont plus de cent ans, vous allez goûter *mes* melons, je fais réparer *mon* mur... » Il s'assied ici largement, il surveille, il échenille, il accueille, il donne : très « baron d'Aurignac ». (Quand il rappelle discrètement que son grand-père portait le titre, et qu'il pourrait, s'il voulait, le relever, il affecte, bien sûr, l'ironie ; mais est-il tout à fait franc ? Plus friand qu'il n'en a l'air de distinctions sociales, ne fût-ce que pour prendre la hauteur de les mépriser quand il les a.) Oui, pour lui, c'est très bien, son éthique, sa nature, ses convictions se composent. Mais moi, ai-je le droit d'aimer les Cormiers, l'abondance rustique de la table, la bibliothèque bien choisie, le salon assoupi dans les fleurs? Plus de doute, ce cadre de vie me plaît, me devient nécessaire.

Il faut tout m'avouer : il y a quinze jours, appelé par Médéric en Bretagne et logé dans la cambuse de ses parents (le père pêche la sardine et la mère promène la marée dans une petite voiture), j'ai subi avec ennui l'exiguïté de la mansarde, les mauvaises odeurs, la rude nourriture, et jusqu'à la grossièreté des propos. J'ai beau me forcer : devant un pauvre type qui travaille de ses mains et qui ne lit pas, je suis l'homme libre aux longs doigts et au cerveau lourd; j'éprouve de la gêne, du remords, de la pitié, mais pas immédiatement la sympathie. — Au fond, je n'accroche bien au peuple qu'en corps, quand il est le grand être anonyme et massif dont je souhaite de conduire la volonté confuse, avec mon intelligence et celle de quelques-uns, vers les buts choisis par nous. Donc morale de seigneur, encore! Ce n'est pas très propre. Et puis, c'est bien dangereux. On commence par agiter la foule; promu par elle, on s'installe dans l'État à côté des maîtres, et l'on finit par la trahir à leur profit : car on ne gouverne pas longtemps contre les gens dont on partage les goûts et la culture, avec qui l'on dîne et l'on couche.

Alors, quoi? je serai donc aussi dégoûtant que les autres? Ma foi révolutionnaire : une fièvre de jeunesse, une gourme intellectuelle, comme dit l'Oncle? Et à quarante ans, je me croirai quitte, moi aussi, envers le peuple, en faisant de l'opportunisme de gauche et en m'inscrivant au parti socialiste? Non, tout de même pas ça! Mais je sens bien qu'il faudrait me délivrer, casser mes liens. Faire, par exemple, comme Goldschmidt : quitter l'École, lâcher l'agrégation, apprendre un métier, vivre quelques années d'une vie ouvrière. En aurai-je le courage? Il me semble que j'aurai plus facilement celui de me faire casser la figure dans une émeute ou dans une guerre sainte. Encore un coup du sang d'Aurignac (car enfin, je l'ai) : on veut bien être un héros ferrailleur et galonné, mais point le simple soldat dans la mouise, point le pelleteur de charbon dans les soutes de la société.

11 août.

Ah! l'heure est délicieuse; dans l'air mauve et chaud de ma chambre mon corps à demi nu, engourdi; toutes les odeurs du jardin venues à moi par les volets clos en tuile; et l'émail azuré du matin aperçu dans la transparence des pins... Oui, en vérité, je me dégoûte! Mais pourquoi, aussi, cette manie cruelle de me charcuter l'âme, de me juger, de me refuser? Et comment être heureux avec l'inquiétude de perfection et de justice qui perpétuellement me taraude? Inquiétude absurde en cet univers sourd, en cette grande horlogerie mal réglée, où je suis quoi? Ma vie, un hasard de la matière; ma conscience, un hasard de la vie... Et pourtant, l'esprit est là, inexplicable et suprême, impossible à tuer; même le plaisir n'étouffe pas sa voix qui exige je ne sais quoi d'absolu. Et je ne puis être la guêpe ivre qui tournoie autour de la touffe de sauges dont Reine a chargé ce vase —

l'insecte comme un instant de vie essentielle, flambant sans pensée et sans ombre.

14 août.

Reine est superbe cet été. Elle aussi, lourde guêpe extasiée de bien-être solaire. Il lui suffit de respirer l'air du large, de poser ses pieds nus sur la plage, de plonger dans les vagues pour retrouver une jeunesse sans flétrissure. Elle nage, elle court, elle joue, elle dévore; longuement, elle dort au soleil, sur le sable ou sur l'herbe comme les belles mortelles qui tentaient les dieux. (Mais non! cette image académique est sotte. Reine n'a rien à voir avec l'amour de Jupiter : la terre lui suffit, et les hommes. Son charme est de ne provoquer jamais l'extraordinaire.)

Nous sommes presque toujours ensemble : au tennis, à la plage, au jardin, au salon. Sa conversation est banale, mais elle ne m'ennuie jamais; d'ailleurs, ses paroles m'atteignant à peine, c'est sa voix que j'accueille et que je caresse. Son image aussi : plus que tout, ses bras nus, un peu gras, satinés et puissants. Ah! le temps est loin, où, petit garçon gourmand, je roulais ma nuque dans leur fraîche corbeille. Je ne l'embrasse plus, depuis deux ans : seulement, matin et soir, je baise son poignet, le plus haut, le plus longtemps possible; elle n'a pas l'air de s'en aviser. Il lui arrive encore de prendre ma tête dans ses mains, de ranger d'un mouvement de ses doigts mes cheveux rebelles : « Tu ne sauras donc jamais te peigner, mon pauvre grand! » Ce geste affectueux, je l'attends parfois toute une journée; et puis, je le déteste, car je n'y peux voir que l'indifférence de cette femme, sa constance à me traiter en enfant. Je me demande ce qu'elle dirait si j'osais faire enfin ce dont je brûle : la serrer dans mes bras, baiser ses cheveux, ses yeux et ses lèvres. Qu'est-ce qui me retient? Quelle peur d'elle ou de moi? Quel respect des autres? Ou quel interdit magique?

Les plus beaux moments avec elle, dans la chaleur de l'après-midi. On se tient au salon; l'ombre, attiédie derrière les persiennes closes, est comme vibrante et dorée de son odeur blonde. Assise au piano, nue sous sa robe claire, elle attire, elle absorbe, elle rend tout ce que la pièce contient de lumière; et elle chante. Ce qu'elle préfère : hélas! trop souvent des romances. Alors, l'Oncle, agacé, s'éclipse (et qui sait, après tout, si ce n'est pas ce qu'elle désire?). Moi, j'écoute, j'écouterais toute une vie. Qu'importe qu'elle chante du Massenet ou du Raynaldo Hahn, si c'est le timbre de sa voix qui résonne, assourdie et tremblante un peu dans les notes basses; sa voix de magicienne invoquant la lune?

Cette histoire est un peu vile, et même ridicule : jouer les Chérubins, quand on se voudrait Saint-Just! Je n'aime pas beaucoup parler d'impureté, car je ne l'entends pas, comme un coquebin de jésuitière, au sens d'une complaisance à la chair : non, le charnel n'est pas le mal. Et cependant, il y a une sorte de pureté que j'estime, et qui consiste à accepter franchement l'élan d'un désir : je ne la trouve pas dans mon amour. Étrange amour, qui n'est pas, et qui est tout! Je n'aurai jamais cette femme, je le sais, et je n'essaierai même pas de l'avoir. Mais je sais aussi que je n'aimerai jamais qu'elle, à travers les autres; je sais qu'il y a une douceur, un accent et un parfum qui me furent révélés par elle, et dont j'aurai toujours envie, et que je ne cesserai pas de chercher au-delà d'elle — et que, sans doute, jamais je ne rencontrerai plus, parce qu'ils n'appartiennent qu'à sa vie passagère, parce qu'ils sont elle-même, et elle seule. Charme d'un être, ô chance inestimable gagnée contre l'infini! Reine, Reine, chantez encore une fois pour moi, éveillez et faites danser dans mon âme les elfes qui devront mourir quand vous vous serez tue pour toujours!

22 août.

Ils ne me laisseront donc jamais la paix! Médéric m'assomme de lettres pour que j'assiste à une réunion de cadres dans je ne sais quelle mairie de la banlieue rouge. Greffulhe et Sabourin, qui passent le mois d'août à Royan, m'embêtent avec une histoire de revue, que nous lancerions à Paris en octobre. Qu'on me permette un peu de respirer, d'être heureux avec ma chair et mon cœur! La théorie, les idées, les paroles, la révolution, la littérature, je ne les digère plus. Je demande à vivre.

Curieuse coïncidence : l'Oncle semble faire en même temps que moi sa crise de lyrisme panique. Il doit y avoir dans les pierres ou les arbres des Cormiers un génie du lieu qui souffle cet air. A moins que ce ne soit, tout simplement, Reine épanouie dans l'été... L'Oncle traduit sa fièvre à la manière des hommes de sa génération, en se gargarisant de Gide et de Barrès. — « L'intelligence, quelle petite chose à l'extérieur de nous-mêmes! » citait-il hier matin en respirant sa plus belle rose. Seule, Annou échappe à la contagion et conserve son style : protectrice de la maison, sœur aînée de sa mère, et toujours ce sourire comme la fleur de sa pensée claire et grave. Elle est contente, depuis trois jours : elle a découvert dans le village une femme malade et chargée d'enfants, qu'elle va soigner matin et soir.

Chère Annou, douce grande sœur, comme je la néglige cette année! Et pourtant, à me promener, à causer avec elle, je ressens une sorte de paix, bien différente de celle qui m'est donnée par la présence de Reine, mais d'un prix non moindre : une paix qui doit ressembler à ce qu'elle appelle un état de grâce; un repos dans la certitude et l'adoration d'on ne sait quel au-delà de soi-même. Aujourd'hui, levé de bonne heure, j'ai eu l'idée d'aller à sa rencontre sur la route, je lui ai proposé de marcher un moment dans la campagne. Nous avons monté jusqu'à la levée du coteau, d'où l'on aperçoit l'Océan. Limpidité du matin, trompeuses délices! L'air bleu et léger semblait incorruptible à jamais; les volées d'oiseaux blancs poudroyaient sur l'azur marin comme s'il ne devait plus y avoir de tempêtes; les grappes de raisin, vernies de rosée, s'exposaient aux traits vivifiants de soleil comme si elles ne devaient jamais couler sous le pressoir, jamais emplir un verre d'ivrogne. « Regarde, dis-je à ma sœur, ne dirait-on pas, à voir les choses et les êtres se jeter sur la vie, qu'elle est la paix éternelle, la joie immobile et parfaite. » Elle me répondit : « Il existe, au bout de la vie, la paix éternelle, la joie immobile et parfaite. » — Non, je ne veux pas pleurer sur l'énorme illusion de ce monde; encore moins en forger une autre, comme Annou, plus loin que le temps qui nous est donné. Mais je consens à m'apaiser dans le mirage. Si rien n'est pur pour l'intelligence qui se souvient et prévoit, qu'au moins les sens et le cœur épuisent le bel instant virginal, le frais et fragile prodige du matin, avant que midi n'ait incendié le ciel, desséché les plantes, harassé les oiseaux et rassemblé sur la mer les nuées du prochain orage!

Le 23 août.

Roger Darnauld a gagné le championnat de golf. Mince et haut, avec sa petite tête racée et vide, allongée par son nez, il ressemble à son club. Ce n'est pas de chance, de faire l'apprentissage de la jalousie par cet imbécile! Si Reine avait pris quelqu'un de bien, j'en serais moins affligé; moins irrité en tout cas.

Mais après tout, Reine l'a-t-elle pris? Elle accepte la cour qu'il lui fait comme elle accepte toute chose : mes idées, mon culte muet, les attentions affectueuses et les méditations taciturnes de son vieux mari — avec une passivité douce, qui couvre peut-être une indifférence définitive. En somme, je ne puis pas dire qu'elle me lâche : c'est moi qui, ne pouvant les voir ensemble, le Darnauld et elle, m'en vais rageur quand il est là. Malheureusement, il est toujours là maintenant; et quand je les ai surpris, hier soir, dans le salon des Cormiers, ils se trouvaient bien près l'un de l'autre. Je n'ai aimé ni l'air faussement dégagé du monsieur, ni le silence boudeur de la dame.

Une question m'obsède, extraordinaire, et que je n'aurais pas prévu que je pourrais me poser : Reine est-elle une honnête femme? Ou plutôt, pour éviter ce ridicule vocabulaire puritain, est-elle une femme prenable? Après tout, je n'en sais rien. Bourgeoise sensée et régulière, bien sûr! ce n'est pas d'elle qu'on doit craindre — ou espérer — la crise romantique, la grande passion qui casse tout. Mais un solide et confortable petit adultère, bien caressé, bien mis à sa place pourquoi pas ? On vante volontiers, dans la famille, ses succès mondains au temps des grandeurs de Vienne et de Varsovie. Jusqu'où est-elle allée dans l'occasion ? Elle ment très bien, elle sait parfaitement cacher son jeu : je m'en suis aperçu dans l'affaire du coffre-fort. Cette fureur d'émancipation intellectuelle, que j'ai attisée et utilisée dans mon intérêt, et qui ne répond à aucun impératif ni de son jugement ni de sa culture, ne traduit-elle pas un complexe sexuel d'insatisfaction, de rébellion ou de remords ? Il m'arrive de penser que je suis un niais, en mettant cette femme de chair sur un piédestal... Mais, dieux ! qu'il est malaisé de se purger de la religion ! La pensée que Reine pourrait être atteinte me la rend moins chère et moins émouvante : je ne l'aime qu'environnée de sacré.

31 août.

L'Oncle est évidemment inquiet. Non pas de Darnauld, de moi. Ma camaraderie avec Reine l'a toujours agacé; maintenant, je vois qu'elle le fait souffrir. Autrefois, cela m'eût fait plaisir; j'aurais trouvé que c'était bien son tour d'être un peu piétiné par les autres. Puis, cela m'eût été égal; aujourd'hui, je n'en suis pas encore à l'épargner, mais secrètement à le plaindre. Il a sensiblement vieilli ces derniers mois. Ses efforts pour se mettre à notre *tempo* ont quelque chose de touchant, de pitoyable. « L'intelligence, cette petite chose... » Hé non ! cher Oncle, la surface a absorbé le volume, l'intelligence a dévoré le corps. Mais non point le cœur; et c'est une chose affreuse de constater que la chair continue à désirer dans sa décrépitude. Oui, j'ai un peu honte de ma jeunesse devant lui.

Mais mon plus grand souci est pour Annou. Fine comme elle est, rien ne lui échappe. L'espèce d'électricité qui passe entre sa mère et moi, (d'elle à moi complaisance attendrie, curiosité amusée des sens et du cœur; de moi à elle attente exaltée, irritée, jalouse), Annou, muette, impassible et horrifiée, la détecte et la mesure. Je la sens déchirée entre la préoccupation de nous suivre, de s'établir en tiers entre nous, pour nous défendre contre nous-mêmes et nous couvrir devant les autres, et la gêne de faire ce métier, la douleur de nous voir ensemble, de nous deviner. Ce sont, le plus souvent, ce scrupule et ce chagrin qui l'emportent : elle fuit. Et ce que je lis de souffrant dans son regard, je suis bien obligé de l'appeler, avec un sens plus précis et plus dur que celui que je donne personnellement à ce mot : une pureté.

7 septembre.

La guerre brûle en Espagne, et je suis ici, mangeant les cantaloups glacés de l'Oncle, me baignant, lézardant au soleil, jouant au tennis avec des garçons et des filles qui louent Franco de mettre à la raison le *frente crapular*... Et, pour les instants de vie plus intense, je me morfonds de désir et de jalousie, je déguste de la belle amour, je transfère en états d'âme une excitation de mon sang surnourri. Ah! oui, je me dégoûte!

Tous ces riches, que je les déteste! Pour ce qu'ils me refusent, mais plus encore pour ce qu'ils me donnent : leurs sales passions, leurs futiles plaisirs, leur argent empoisonné.

Là-bas, les pauvres, un peu plus misérables, un peu plus opprimés qu'ailleurs, grincent de colère, défendent leur chance dans une lutte inexpiable, et leur sang fait lever un soleil vers lequel se tourne l'espérance du monde. A quel point mon cœur est avec eux! Et tant pis s'ils vont un peu fort, s'ils cassent quelques reliquaires vénérables, s'ils font violence là où ils sont maîtres. Même quand une révolution n'établit pas la justice, au moins elle déplace l'injustice, et c'est déjà une justification. Feu du ciel ou fureur populaire, tout est bon qui renverse les puissants de leur siège et leur fait expier leur égoïsme et leur orgueil.

18 septembre.

Toujours le remords d'être là; et toujours impossible de me détacher. Surtout quand il fait grand soleil, et que l'été me retient avec tous ses filets d'or. Aujourd'hui, l'approche de l'équinoxe a réveillé le vent, encombré le ciel; vais-je renaître à des pensées plus viriles? J'ai eu envie, tout d'un coup, d'écrire à Sabourin pour le projet de revue, à Médéric pour lui proposer un plan d'action en faveur des Républicains espagnols.

Mais Reine est encore bien proche, et se défend. L'idée qu'elle pourrait nous tromper avec le joueur de boules m'est intolérable. (Ce *nous* est cocasse et même un peu monstrueux, mais qu'importe? Il est venu sous ma plume.) D'ailleurs, je marque des points. J'ai découvert ce qui flatte Reine : paraître, devant ces bourgeois de province, une femme dans le train, avec des idées avancées en art et en politique. Je la soutiens brillamment dans ses offensives, et elle me sait gré de la faire triompher. Roger Darnauld, qui ne prend pas très au sérieux ses opinions révolutionnaires, se moque un peu lourdement d'elle, l'appelle la *Pasionaria;* elle en est fâchée, et l'envoie promener. Hier, en rentrant de Royan, elle m'a dit qu'il l'embêtait, et qu'elle ne s'entendait vraiment bien qu'avec moi. Elle m'a fait de la musique, pour moi seul, toute la soirée.

Ce matin, dans le jardin des Cormiers, sur un ton ambigu entre le grave et le plaisant, je lui ai demandé à brûle-pourpoint : « Tante Reine, dites-moi la vérité : avez-vous eu des amants ? » Ma question l'a surprise, mais nullement déconcertée. « Mon petit Denis, m'a-t-elle rétorqué, je devrais te dire, d'abord, que ça ne te regarde pas. Mais je préfère te répondre que, pour un garçon d'esprit, tu es bien bête si tu te poses vraiment une pareille question. Tu n'as donc pas compris que je suis une femme sans problèmes ? J'aime assez la vie pour me contenter de ce qu'elle me donne; je ne cherche jamais à côté; et je déteste les complications. » Elle ajouta : « Est-ce Roger Darnauld qui te rend tellement jaloux ? » — Ce fut moi, idiot, qui perdis contenance et me jetai dans une gauche parade. « Mais, Tante Reine, de quel droit serais-je jaloux de vous ? » — « Je ne sais pas, me dit-elle; il y a parfois des sentiments que l'on éprouve sans attendre d'en avoir le droit. » Nous éludâmes dans le mutisme, puis dans l'ombre protectrice des propos indifférents. C'est la première allusion de Reine à un lien de tendresse possible entre nous.

24 septembre.

Cette aimable, cette affreuse soirée de la *Tarte aux Pommes !* Jamais aussi maître de Reine — le Darnauld, knock-out! — aussi charmé par elle, et aussi près de la mépriser. Jamais à ce point triomphant, heureux d'humilier et de soumettre, et tourmenté, irrité de faire souffrir. Quand Annou s'est mise à sangloter, en dansant avec moi, quand je suis sorti avec elle, pourquoi le premier mot qui s'est échappé de ma poitrine — le premier et le seul, car elle n'a rien répondu, pas même par un sourire, et il s'est tissé entre nous des minutes d'horrible silence, jusqu'à ce que l'Oncle vînt la chercher — pourquoi ce mot fut-il : « Je te demande pardon. » Pardon de quoi, et pourquoi à elle ? Demander pardon d'un désir, qu'est-ce que cela signifie dans mon système de pensée ? Pourquoi y a-t-il des verbes qui viennent de plus loin que la pensée.

Reine est surprenante. Elle ne s'est aperçue de rien ; je ne puis croire qu'elle ait fait *comme si :* pas assez intelligente pour réussir aussi supérieurement du théâtre. Non, elle ne voit rien, ni chez les autres ni, je pense, en elle-même. Bruit, danse, champagne, une pointe d'équivoque, une atmosphère un peu noceuse : rien de plus dans le champ de sa conscience, et cela lui suffisait. Elle s'amusait, voilà tout ; et c'est toujours un peu laid, une femme qui s'amuse. Pendant ce temps, l'Oncle saignait (ce n'est pas le plus grave, il ne manque pas de ressources contre sa peine) ; et Annou versait des larmes qu'au prix de ma vie j'eusse voulu lui épargner. — Au prix de ma vie ! Ce n'est pas vrai. Je ne donnerai pas une minute de mon existence, je ne changerai même rien à ma conduite, je le sais, et Annou n'a pas fini de pleurer. Soit ! mais alors, de quel droit le haïr, lui mon père de sang, et qu'est-ce que je lui reproche? Moi aussi, je passe dans le camp des maîtres; je suis convoitise et orgueil, il me plaît de posséder et de vaincre, et j'écrabouille les faibles sur mon passage... Mon vieux Paçois, moi qui croyais être de ton parti, toujours! Ce tourment intérieur m'obsède et m'excède. Il a empoisonné cette nuit, qui fut douce pourtant à mon orgueil et à mes sens. Mais il m'étreignait plus fort que je ne serrais dans mes doigts la longue taille souple de Reine; et je finissais par lui en vouloir d'en être cause, et surtout de n'en rien partager, de me laisser avancer seul dans mon souci et mon remords. Remords, encore un mot qui ne devrait pas exister pour moi, mais de quel autre user pour cette giclée d'eau salée remontant des profondeurs? Dans l'aube du retour, un peu gris, je conduisais le side-car à tombeau ouvert et, tout d'un coup, j'ai durement freiné et bloqué; elle eut peur — enfin! « Dites Reine, lui demandai-je; vous ne trouvez pas que ce serait une belle sortie, de nous jeter ensemble, à cent dix, sur un ormeau de la route? » — « Tu es ivre ou fou, fit-elle sans colère; il ne s'agit pas de sortie, mais de rentrer chez moi. Allons; marche ; il est tard. Mon mari et ma fille doivent s'inquiéter. » Son sang-froid m'en imposa. Je la ramenai aux Cormiers à une allure sage.

26 septembre.

La maison est calme. L'Oncle a bien encaissé et affecte l'indifférence. Annou a retrouvé sa sérénité douce. Reine est gaie comme une jeune fille; elle se baigne, elle s'étire, elle chante, elle rêve. N'y a-t-il donc ici que moi de conscient, ou qui ne me mente point? Pourtant, je mens aux autres, moi aussi. Je grime en gentillesse affectueuse l'amour qui me ronge, en déférente gratitude mes rancunes de bâtard. Toute cette comédie, cette fausse paix me donne envie de vomir. Je n'en puis plus, je m'en vais ce soir. Je pars pour Condette, où ma mère m'appelle depuis longtemps; j'aurais dû la rejoindre plus tôt, la malheureuse; mais j'ai préféré mon agrément... Et puis, revoir Médéric et ses gars; causer avec ceux qui partent pour l'Espagne, ou qui en reviennent : sais-je, après tout, ce que je vais faire? Ah! retrouver le contact avec les pauvres types, les humiliés, les révoltés surtout! Je ne veux pas être heureux du bonheur des riches, ni souffrir de leurs petits malheurs lâches. Dans cette même chambre pleine de soleil et d'odeurs florales, je suis arrivé si content! Et maintenant, ce que j'ai eu de plaisirs et de peines ici, depuis huit semaines, me fait également horreur...

1937

Les Contamines, 1er janvier.

Sur l'argent de mes premières leçons, je m'offre six jours de neige. Six jours, surtout, d'altière solitude; j'en avais besoin. Mais revient sur moi le démon de l'analyse. Il m'a laissé tranquille, ces trois derniers mois : encore une période salubre d'action et de travail. L'entrée à l'École, le choix et l'organisation de mes études (j'ai opté pour la philosophie), le lancement de la Revue, la propagande antifasciste ont absorbé mon temps. Reine se plaint que je la délaisse; c'est un peu vrai. C'est moi maintenant qui vais où je veux, et elle qui implore discrètement de me suivre. Aux Cormiers, à la plage, l'épanouissement de son corps lui confère une majesté; elle n'est qu'instinct, santé, grâce et vigueur, et je suis pris dans son champ de force. A Paris, elle perd du poids; elle revient à la surface sociale d'elle-même : bourgeoise en uniforme, docile aux conventions du monde sous l'affectation de les fronder. Je lâche le mot : il arrive qu'elle m'ennuie.

La présence de ma mère — l'Oncle et Reine ont eu la générosité de la recueillir — rend d'ailleurs la vie à peu près intenable. Pauvre femme, combien je la préférerais morte! Je ne me crois pas un monstre en le pensant, la déchéance d'un vivant qu'on aime étant le pire spectacle. Sa déchéance : je m'afflige encore moins de sa passion pour la drogue que les vilains sentiments auxquels maintenant elle adhère. Ainsi, la sourde complicité dont elle nous enveloppe, Reine et moi. Pour quels motifs? C'est trop évident : faire souffrir l'Oncle, pousser Reine à sa perte, poser dans la cave d'une maison qu'elle déteste une jolie petite mine de scandale. J'ai envie, parfois, de tout casser et de lui dire : « Mais enfin, toi, tu vois et tu sais; tu sais qu'il est mon père et que c'est sa femme, laisse-nous au moins tranquilles! » Je n'en ai pas le courage, je n'ose pas frapper cette infirme; et puis, je crains de trouver pis en elle, une basse complaisance à s'exciter avec l'amour des autres; je crains de bouger la pierre sur un égout. Parfois, je tâche de l'excuser. Pourquoi pas, après tout? Elle a souffert, et elle se venge. Elle s'ennuie, et elle essaie de s'amuser. Incapable de mettre en forme les arguments qui condamnent sa conduite, j'y sens de l'ignoble; et l'espèce de dégoût que j'éprouve contribue à m'éloigner de Reine.

Ainsi, me voilà soulevant contre ma mère des mots énormes, et la condamnant. Mais en ai-je le droit, et qu'est-ce que cela veut dire, condamner? Quelle est l'étendue de la liberté dans la conduite de cette femme usée? Elle subit le détraquement de ses cellules nerveuses, et toute une machinerie de réflexes psychologiques montés par son passé : quelle y fut la part de sa responsabilité, et quelle des circonstances? C'est visiblement une malade; les malades, on les soigne et on les plaint, on ne les juge pas.

Seulement, cette pensée peut conduire loin. Nous sommes tous, dans quelque partie mal faite ou abîmée de nous-mêmes, des malades. Y a-t-il vraiment des êtres capables de décider contre leur éducation, leur hérédité et leur tempérament? Et s'il en existe, combien de leurs actes et de leurs sentiments portent le signe d'une authentique liberté? Nous sommes sûrs d'avoir des glandes; mais une âme? Une âme : le siège d'une volonté libre orientée par un amour pur. Annou a une âme, bien sûr, et Paçois en avait une. L'Oncle, Reine, moi-même, nous en avons une *quelquefois;* ma pauvre mère a déjà perdu la sienne; je suppose que Médéric n'en a jamais eue : un cerveau plein et bien fait, ce n'est pas encore une âme.

Donc, il faudrait renoncer à juger moralement ces tristes machines que sont les hommes. On peut les juger socialement, sur le critère positif du bien ou du mal qu'ils font dans l'histoire; esthétiquement, selon le degré de puissance et d'harmonie que le hasard a réalisé dans leur nature, et d'après le plaisir que nous prenons à les admirer dans leur réussite. Mais mépriser, haïr, de quel droit? Il ne faudrait que guérir et aimer.

7 janvier.

L'Oncle a lu mon premier article dans la Revue. Titre : *L'humanisme contre l'homme*. Non sans quelque raison, il s'est senti visé. Je reçois de lui une lettre, dont je copie ces phrases : « *Toi et tes amis, vous êtes des jeunes gens ; la vie ne pèse* « *qu'à peine sur vous ; vous pouvez donc vous complaire à des spécu-* « *lations très hautes et très générales, qui embrassent l'absolu de la* « *justice et le cours entier de l'histoire, sans tenir compte des humbles* « *et dures conditions dans lesquelles chaque civilisation particulière,* « *chaque nation, chaque individu essaient de penser et de vivre. Vous* « *pouvez juger vos pères avec une rigueur sévère que ceux-ci n'ont* « *pas envie de retourner contre vous. Cela est dans l'ordre, il n'y a* « *rien à objecter. Ne crois pas pourtant que nous soyons insensibles* « *à vos griefs. Ce que nous avons cru être notre liberté d'esprit,* « *vous l'appelez scepticisme ; notre goût de la culture, snobisme* « *bourgeois ; notre souci de la distinction, orgueil de nous distinguer ;* « *notre respect des traditions, attachement à nos privilèges. Vous* « *ne vous trompez pas complètement : en cet ordre de pensées, où* « *tout dépend du point de vue, on a toujours un peu raison, quoi* « *qu'on dise. J'irai plus outre : j'accepte qu'il y avait en effet,* « *dans notre sagesse et notre vérité, une part, ou plutôt une surface,* « *une croûte d'alluvions temporelles, particulières et récentes ; oui,* « *notre humanisme était bourgeois dans sa forme, et ce qui fut en nous* « *d'une ère et d'un régime, j'admets que cela doive périr et brûler* « *comme un tas de feuilles mortes dans les temps nouveaux où nous* « *entrons (dites-vous). Mais il y a une chose que je sais bien aussi :* « *c'est qu'à notre sagesse et à notre vérité tenaient des valeurs* « *solides et qui ne sont pas d'hier, car elles ont traversé, depuis* « *trois mille ans, bien d'autres régimes que le capitalisme industriel,* « *bien d'autres cultures que celle que vous affectez d'appeler bour-*

« geoise; des valeurs que nous avons quelques raisons de croire « absolument humaines. Et alors, de deux choses l'une : ou bien, « au-delà de notre défaite, vous, les jeunes vainqueurs (si vous devez « l'être), vous les retrouverez, ces valeurs, vous les incorporerez à « votre morale, à vos codes et à votre style — et ce sera notre revanche; « ou bien, vous les aurez perdues définitivement, vous continuerez « à professer que l'intérêt politique est supérieur à la vérité, l'État « à l'homme, le corps à l'esprit, l'économie à la culture, l'instinct « à la raison, le chaos de l'inconscient à l'ordre de la pensée — et « ce sera notre revanche encore, mais amère. Amère non pour nous, « qui ne serons plus, mais pour vous et pour vos enfants, car vous « n'aurez réussi à construire ni une cité, ni une civilisation, ni un « langage, ni probablement un bonheur... »

Neuilly, 10 janvier.

En rentrant de Savoie, fait le détour par Leysin, où Jean-Louis Dutilleul a été transporté au début de l'hiver. Atteinte grave; il doit renoncer définitivement à l'École; plus question de se marier. C'est quand même quelqu'un de bien, plus fort et plus vrai que je ne pensais; sa religion n'est pas du toc; son optimisme chrétien résiste à l'épreuve du malheur; sa résignation, pour soutenue qu'elle soit d'une spiritualité illusoire, est virile et belle. Une chose, qu'il m'a dite, absurde en termes de raison, m'a pourtant touché au cœur : « La souffrance n'est jamais perdue, puisque nous pouvons la faire rejaillir en mérites; j'offre la mienne pour une cause qui nous est commune : pour la victoire des catholiques basques et pour le salut du peuple espagnol. »

J'ai rapporté le mot à Médéric, qui a haussé les épaules.

« C'est très gentil; mais j'aimerais mieux mille balles pour la caisse de secours. Les munitions ont plus d'effet que les prières. » Nous nous sommes presque disputés. — « Reconnais, au moins, ai-je dit, que ces gens ont quelque chose que nous n'avons pas : une force morale supplémentaire, une disponibilité d'espérance et de courage. Ce qui arrive à Dutilleul peut arriver demain à l'un de nos gars. Comment tiendra-t-il le coup? Qu'est-ce que nous aurons à lui dire pour le défendre contre le désespoir? » — « S'il croit à la cause, il se moquera un peu de ces petits malheurs particuliers. Il se sentira solidaire des copains qui travaillent et qui luttent, il trouvera bien le moyen de faire quelque chose pour eux, sa vie gardera un sens. » — « Tu ne peux pas nier, tout de même, que l'individu ait une vie à lui, et qu'elle soit la plus profonde, et qu'il puisse y rencontrer l'horreur de souffrir et de mourir. Qu'avons-nous à dire à l'homme mouillé des sueurs de l'agonie? » — « Ce n'est pas une raison parce qu'un petit nombre de types auront de la déveine, ou parce que nous pouvons tous, un soir, avoir peur du trou, pour revenir au catéchisme; tu sais bien que le résultat nécessaire et constant de l'hypothèse religieuse est de détourner l'homme de construire son bonheur terrestre. Tiens, poursuivit-il, il me vient un exemple. Tu connais le lieu commun de la littérature christiano-bourgeoise : le scandale des scandales, pour la raison de l'homme, c'est la mort des petits enfants. Les incroyants en tirent argument contre Dieu, et les bonnes âmes, au contraire, affirment qu'en dehors de la foi, le spectacle d'un enfant qui agonise est insoutenable et injustifiable. Bon! mais quand je consulte les statistiques, je constate que, depuis une centaine d'années, la mortalité infantile en Europe a diminué environ des trois quarts, et qu'actuellement elle est en telle régression qu'on peut espérer la vaincre tout à fait. Si donc la religion rend tolérable le scandale de la mort des enfants, la science fait mieux : elle le supprime. Voilà le sens dans lequel il faut chercher le salut de l'homme. »

Nous avons polémiqué toute la soirée sur nos vieux thèmes : Médéric me reprochant de m'accrocher au dilettantisme bourgeois et de n'avoir souci que de l'individu; et moi à lui, de ramener tout drame personnel à des considérations statistiques, et de résoudre arbitrairement les problèmes d'aujourd'hui par des traites tirées sur l'avenir. Le vrai est que nous ne pouvons pas nous entendre : nous différons sur les principes. L'idée que Médéric se fait de l'homme me paraît misérable : l'humanisme de l'Oncle, avec toutes ses amarres dans le passé et tout ce qu'il recouvre d'impur est, à un certain point de vue, supérieur; il mutile moins le donné de la conscience, certaines angoisses de l'esprit lucide, certains appels du cœur que l'homme ne saurait étouffer en lui sans se nier. Quant à moi, mon parti est pris : je suis avec les communistes, je refuse de me séparer d'eux ou d'agir contre eux, pour ne pas diminuer leur force offensive et pour ne pas faire, par idéalisme intempestif, le jeu des malins. D'accord pour le grand coup de bélier dans le désordre d'aujourd'hui! Mais je garde la liberté de mes options quant à l'ordre de demain. — « Cette liberté, te la laisseront-ils? » m'objecte Jean-Louis. Je sais en effet ce que je risque. Entre les balles fascistes du grand soir, et le camp de concentration où quelque commissaire du peuple — Médéric, sans doute, n'hésiterait pas — m'enverra croupir le lendemain comme social-traître, mon destin ne s'annonce pas rassurant...

17 janvier.

Curieuse impression, hier soir. Nous étions tous au salon, après dîner. La vieille Aupetit, qui complète actuellement la ménagerie familiale, lançait sans désemparer, plus chameau que jamais, des mots perfides contre l'Oncle, contre ma mère, contre moi; nous n'avions pas l'air d'y faire attention. Reine, assise près du lampadaire, feuilletait une revue — la Revue : je crois bien qu'elle lisait mon article. Je la voyais à contre-jour; l'ombre qui cernait son visage en absorbait les contours flatteurs, la surface polie et soignée, et laissait durement saillir le masque essentiel : l'ovale allongé, les mâchoires fortes, les tempes excessives, la bouche grande. Et tout d'un coup, je fis cette découverte horrible : Reine ressemblait à sa mère; elle tendait vers elle comme vers sa propre caricature; son beau charme d'athlète adolescent, cette âme de beauté virile qui est en elle et qui semble vibrer dans le contralto de sa voix, se laissait déjà décomposer par le temps, et bientôt elle irait se perdre dans le type hommasse et chevalin de la colonelle. Et alors, je m'avisai de ce dont je n'avais pas encore voulu m'apercevoir : depuis quelques mois, Reine a vieilli. Ses quarante-trois ans, personne ne les lui aurait donnés l'an dernier; mais voici déjà qu'à certains moments elle paraît, elle aussi, vulnérable. Est-ce pour cela qu'instinctivement je m'éloigne d'elle, en couvrant ma retraite de métaphysique et de moralité? C'est bien possible. Et pourtant, l'irruption dans ma conscience claire de cette certitude : Reine sera bientôt une vieille femme, loin de me la rendre odieuse, m'a tout à coup rempli pour elle d'une tendresse passionnée; il n'y entrait pas seulement de la pitié, mais je ne sais quelle peur de laisser perdre en moi l'huile d'un désir qui peut encore faire de la flamme. Je dois voir ce soir au studio des Ursulines la présentation d'un film soviétique, et je ne comptais pas l'y amener. Dans un élan que je ne regrette point, je lui ai proposé de venir avec moi. Elle m'a dit : « Oui, cela me fera grand plaisir, je n'osais pas te le demander », — et sa jeunesse ressuscitée a chanté dans sa voix, lui dans ses yeux.

1er février.

Annou s'échappe. Elle affiche une dévotion plus austère, plus forcée. Je sens croître l'appréhension que lui causent mes rapports avec sa mère : les efforts qu'elle fait pour la cacher, ou même pour l'enfoncer dans son inconscient, ne l'exposent que davantage à la trahir involontairement. Tout à l'heure, elle est entrée au salon où nous feuilletions, Reine et moi, un album de Van Gogh; elle a rougi, balbutié, refermé brusquement la porte; jamais autrefois elle n'aurait ainsi manqué de maîtrise d'elle-même.

Je ne puis la tranquilliser; mais je voudrais au moins lui enseigner où sont la vraie question, la vraie pureté, le vrai courage. Impossible à convaincre : elle comprend bien ma position, mais elle n'en affirme pas moins tranquillement sa propre vérité. Elle croit toujours que le mal est dans l'homme, et que la conversion du pécheur est la seule révolution qui importe. Nous parlons deux langages décidément incommunicables. Jean-Louis, qui a obtenu l'autorisation de correspondre avec elle, m'écrit de son sanatorium qu'elle est une grande âme, faite pour le plus haut amour. Je n'aime pas ce vocabulaire sublime.

10 février.

Le péché! Les chrétiens n'ont que ce mot à la bouche! Vont-ils empoisonner l'humanité longtemps encore avec cette pauvre idée d'une intelligence infantile? Une chose me frappe. Qu'il paraisse un écrivain pessimiste, Mauriac ou Bernanos par exemple, qui dénonce en traits violents le péché, qui ôte le masque à la vertu, à la dévotion même : le public des lecteurs bourgeois, et surtout des chrétiens, leur fait un succès; ceux qui sont fouettés acceptent de l'être et, loin de protester, ils caressent, ils choient les jolis scrupules, les tourments distingués qui leur sont offerts comme une portée gentiment griffante de petits chats de luxe. Mais que survienne un écrivain qui voie plus loin et plus simple — je ne dis même pas un communiste, un révolutionnaire, mais un évangélique, comme Bloy ou Péguy, qui dénonce le règne de l'argent et qui réclame au nom du pauvre — c'est d'abord autour de lui une ceinture de silence, de malveillance, puis, quand il faut bien l'entendre, tout un système de contresens intéressés, de falsifications pieuses. Parbleu! les méditations pathétiques sur le mal intérieur, sur le péché, sur le salut, c'est facile, c'est reposant, ça ne tire pas à conséquence historique — bien mieux : ça dispense de se poser les questions qui pourraient finir par faire de la révolution un devoir moral. Voilà pourquoi je crois que le christianisme, finalement, trahit la cause de l'homme, immobilise le désordre.

J'ai dit cela, hier, à Annou; mais elle m'a répondu que je me trompais, et qu'en omettant la considération du péché je vouais à l'échec final mon action révolutionnaire. « Suppose réalisé, m'a-t-elle dit, un ensemble d'institutions aussi rationnel, aussi parfait que tu peux le concevoir. Es-tu assez naïf pour croire que l'excellence du cadre social va suffire à purger les individus de l'amour-propre, de l'orgueil, de la sensualité ? Et alors, si ta belle machine, tu la donnes à diriger à des ambitieux, à des égoïstes, à des luxurieux, crois-tu qu'elle ira toujours droit ? Et, à supposer même que le gouvernement soit bon et le confort matériel assuré pour tous, crois-tu qu'il n'y aura pas toujours non seulement les maladies et la mort, mais les passions, les aspirations contrariées, le froissement des cœurs, l'incompréhension des autres, pour ensemencer l'âme humaine de souffrance et d'amertume ? Crois-tu que vous aurez détruit le mal parce que vous aurez — et vous n'en êtes pas encore là, mes pauvres ! — imposé la dictature du Bonheur ? Non, Denis, il faudra toujours des saints, des voix qui prient, des exemples qui élèvent, des âmes qui rachètent. Vous êtes bien nus, si vous n'avez pas d'armes contre le péché ; car il en garde de terribles et d'imbrisables contre vous. »

Je saisis trop ses arrière-pensées quand elle me dit de pareilles choses ; et j'en suis plus exaspéré encore que gêné. Pourtant, je ne lui réponds rien ; je ne trouve pas d'argument qui n'enveloppe quelque insincérité, quelque refus en moi d'une angoisse à peine avouée... Après tout, ce seront peut-être les chrétiens qui gagneront : la certitude de Médéric, que notre victoire est fatale, est moins une évidence rationnelle qu'un acte de foi. Mais ce qui est certain, c'est qu'ils ne gagneront pas en désarmorçant leur doctrine, en transigeant avec nous. Dès qu'ils entrent dans la démagogie du bonheur et de la justice terrestre, nous les avons. Ils ne tiennent contre nous qu'en opposant au nôtre leur sens du tragique, à la nôtre leur âpreté de réfractaires, à notre absolu d'émancipation temporelle leur absolu d'émancipation spirituelle. Le duel n'est égal aujourd'hui qu'entre deux grands cris d'espérance : « Debout les damnés de la terre! » et « Christ est ressuscité! » Tout le reste n'est que le vain murmure d'une sagesse périmée qui n'a rien à donner à la soif des hommes.

20 mars.

Mon père a été malade, et c'est seulement depuis huit jours que sa vie n'est plus en danger. Il reste déprimé, sa convalescence sera longue. Mon père! c'est le premier mot qui m'est venu, et c'est la première fois, même en pensée, que j'en use pour lui. Je l'ai vu dormir, haletant de fièvre, sur le lit de camp de son bureau, où il a voulu qu'on l'installât, parmi ses papiers et ses livres, dans le lieu de sa noblesse. Là, j'ai senti mollir ma haine; j'ai craint pour lui; j'ai eu honte de moi.

Pourquoi l'ai-je détesté? Parce qu'il paraissait heureux, triomphant, assis à l'aise dans un monde mauvais; parce qu'étant le plus fort, il a bousculé les autres, séduit et abandonné ma mère, abusé de la confiance de Paçois; parce qu'il a voulu préserver, selon l'éthique de sa classe, l'apparence de l'ordre par un silence menteur. Mais ce qui tremble en lui d'anxieux et de déçu sous la surface figée des thèses et des attitudes, je l'ai senti peu à peu. Et d'ailleurs, moi aussi, je vis masqué; moi aussi, je cède à mes instincts et je trompe. Il faut pourtant être clairvoyant et honnête avec soi-même. Vivant sous le toit d'un homme que je sais être mon père, je me plais à le tourmenter, à m'affirmer en tout contre lui, à éloigner de lui ceux qu'il aime, et je joue avec sa femme la comédie d'une tendresse équivoque. Si donc il existe absolument une morale, une qualification impérative de nos actes qui ne dérive ni des conventions ni des intérêts de la société, mais d'exigences rationnelles et d'intuitions du cœur, je suis coupable envers mon père. Au contraire, s'il n'existe pas de morale, si chaque être n'est coupable qu'envers soi-même de ses appétits et de ses secrets, mon père n'est pas coupable, ni envers moi ni envers personne, et le prétexte de vengeance dont je me couvre pour mener mon jeu contre lui est ce que j'affecte de détester le plus au monde : une hypocrisie. Obsédante alternative dont les deux termes me sont durs.

Reste à m'accrocher à la philosophie de Médéric : tout acte est moralement indifférent qui ne concerne pas la Révolution; toute personne qui la combat, ou qui soutient l'ordre adverse, mérite les coups et l'offense. Il y a deux ans, je l'admettais sans examen ni scrupule; et il m'arrive encore de le penser, d'essayer de le penser. Mais j'ai regardé dormir le vieil homme : usé par ses fatigues et ses chagrins, il luttait de toutes les sourdes énergies de son corps malade pour sauver sa vie, pour pouvoir porter encore quelques années son fardeau de labeur, de joies précaires, d'amours menacées, de peurs, d'espérances, de désillusions, tout son destin d'être conscient, souffrant et mortel — et j'ai compris que cette morale était trop dure pour la substance humaine. Non! rien, aucune eschatologie révolutionnaire, aucune fidélité abstraite à la société et à l'humanité ne nous dispense de traiter avec justice et amour un homme vivant dont le bonheur dépend de nous.

7 mai.

Le couvent! J'en ai été le premier averti. Si encore elle avait choisi un ordre de miséricorde, offert son zèle et sa douceur à soigner et à consoler! Mais, non : le cloître et la contemplation, la voie la plus abstraite et la plus âpre. Cet agenouillement perpétuel devant l'idée de Dieu, cette obsession de la Croix, jusqu'à la satiété ou jusqu'à l'extase, quel gaspillage d'âme! « Piété aristocratique », dit mon père (et, « bien né » comme il est, cette considération le console). C'est vrai : spiritualité de luxe, on brûle une vie comme un cierge, pour honorer d'un point de lumière l'autel du Seigneur.

Et pourtant, j'ai respecté sa décision, je n'ai pas même essayé de la combattre. Son acte, irrationnel dans sa fin, est rigoureusement raisonné dans sa forme, donc positivement libre. C'est sur le principe qu'il faudrait la vaincre : mais le principe est un acte de foi, hors du champ de la discussion. « Suppose, m'a-t-elle dit, que tu croies que ce monde est l'œuvre d'un Dieu qui a créé par amour, racheté par amour, et qui appelle, du fond de son éternité, l'amour d'une créature libre : te sachant cette créature, ne devrais-tu pas conclure que l'acte le plus parfaitement conforme à ta nature d'homme est la contemplation adorante de ce Dieu; que la plus haute sagesse est l'abandon total à Lui! et le service le plus efficace en faveur des souffrants et des pécheurs, l'union volontaire à sa passion rédemptrice? » — Je n'ai rien, en effet, à objecter à cette théologie cohérente, sinon son principe : c'est que je ne crois ni au Dieu de la Bible, ni au Christ; je considère donc la décision de ma sœur comme absurde et funeste. Mais je ne puis me défendre d'admirer, dans l'ordre de l'éthique pure, le style d'une grande âme qui bouscule les raisonnements du bon sens vulgaire, qui brise la ceinture de fer de l'égoïsme et qui avance, isolée, à l'extrême d'une abrupte logique.

20 mai.

Expliquer la vocation religieuse par des complexes sexuels, par des déceptions sentimentales ou des préjugés héréditaires, ce serait tout de même un peu court. J'admets que cela vaille dans neuf cas sur dix, ou quatre-vingt-dix-neuf sur cent; mais il reste le dixième ou le centième cas, et c'est celui qui m'intéresse, c'est le cas d'Annou : un acte évidemment inspiré par un état de la conscience supérieure, et contre lequel les petites explications pseudo-psychanalytiques ou pseudo-sociologiques volent en miettes.

L'interprétation de Médéric est déjà plus intelligente : ce serait une forme de la mauvaise conscience de classe. Un être noble veut se soustraire à l'infection d'une société qu'il sent pervertie; et, faute d'avoir reconnu la cause vraie de cette perversion, faute d'une éducation qui le prédispose à combattre le mal où il est : dans l'iniquité des substructures, faute peut-être enfin de vrai courage, il s'évade de l'histoire, il s'enferme dans l'abstraction rassurante de la pure spiritualité. Bien entendu, la société bourgeoise, par ses institutions comme par ses croyances, encourage ces sortes d'évasions qui neutralisent, dans une stérile exaltation de prières, des adversaires peut-être redoutables. « Et ne t'y trompe pas, a-t-il ajouté : l'instinct qui pousse le père à se justifier moralement par une philosophie et une politique humanistes, est fort analogue, en moins accentué, à celui qui conduit la fille à s'unir à Dieu dans un cloître : c'est toujours la grande trahison de l'idéalisme. » — Bien sûr; mais cela n'enveloppe pas encore tout le mystère. Car s'il est vrai qu'Annou sort du monde par haine du désordre et s'invente des douleurs pour s'en faire une arme spirituelle contre lui, il apparaît impossible de réduire sa notion du mal à la conscience claire ou sourde des injustices de la société bourgeoise. Elle y introduit des éléments de pensée et de sensibilité qui échappent complètement à Médéric et que, moi, j'aperçois obscurément, encore que je sois incapable de les définir; du moins, je pressens qu'ils existent. Et je vois bien qu'une probe analyse doit conclure à l'absence de toute relation essentielle entre la conscience de classe d'Anne d'Aurignac et l'angoisse spirituelle qui la jette dans les bras de la Croix.

25 mai.

Le départ prochain d'Annou cause à son père une immense peine, et jette sa mère dans une colère butée. Charnelle, Reine ne veut rien comprendre à cette « vocation » dont l'irrite l'absurdité; blessée, elle se répand en propos blessants. Théoriquement, je suis de son côté; mais elle avance, pour condamner Annou, des arguments bas et courts; elle parle de dévotion mal entendue, d'indifférence aux siens, d'égoïsme; car elle croit, elle aussi, que l'on renonce aux plaisirs mondains par calcul d'intérêt, et pour s'assurer un bonheur éternel. (Cela n'est vrai que pour les marguilliers; les chrétiens de qualité que je connais, Annou, Dutilleul, ne posent pas ainsi le problème; en se détournant du péché, en choisissant ou en acceptant leur croix, ils songent beaucoup moins à faire leur salut qu'à s'épanouir, dès cette vie, dans l'amour de Dieu.) En bref, ce qu'il y a de grandeur dans cette folie lui échappe, et cela me gêne. Au contraire, aussi peu que je sympathise au mysticisme humano-chrétien de mon père, je l'admire de prendre une hauteur de vue d'où la noblesse et la pureté d'Annou apparaissent dans tout leur éclat et, secrètement, je me sens porté vers lui. L'effort que nous tentons l'un et l'autre, par des voies différentes, pour la comprendre, pour l'approuver et l'admirer encore, crée entre nous une connivence. Il y a un sommet de douleur recueillie et de pensées pathétiques où nous sommes isolés ensemble; et Reine en est exclue par sa rancune maternelle et par une espèce de pesanteur morale. Qu'importe qu'elle ait l'air de penser comme moi, si je sens contre elle? Au fond, ce qui nous éloigne ou nous rapproche des autres, ce ne sont pas tant leurs idées qu'une certaine manière de penser ce qu'on pense : moins une direction d'esprit qu'une qualité d'âme; et la sympathie exige la consonance, non la convergence. (Mais l'amour s'accommode de n'importe quoi.)

3 juin.

Mon diplôme d'études supérieures — la psychologie des passions chez Fournier — me préoccupe beaucoup moins que le sort de la République espagnole. Jamais, sur le plan de l'action, je n'avais collaboré aussi étroitement avec Médéric. Et pourtant, quant à la manière de sentir la vie et d'aimer les hommes, nous nous entendons de moins en moins; j'ai cru d'abord que nous étions séparés par des principes : je me demande si ce n'est pas plus grave, si ce que je refuse de lui n'est pas l'intime de lui-même, sa sécheresse d'idéologue, sa mentalité de procureur, sa terrible intelligence, rigoureuse et coupante mais limitée, inamovible, imperméable à la différence. Sa nature a-t-elle été déformée par sa doctrine, ou, au contraire, a-t-il choisi et durci sa doctrine selon sa nature, je n'en sais rien. Le fait est que ce qu'il dit me choque souvent par une sonorité de métal pauvre. Je sais bien que sa force est là, et que je gaspille une part de la mienne à vouloir comprendre et respecter les autres en cette intimité d'eux-mêmes qui n'entre pas dans des formules et qui échappe aux lois; là où ils sont uniques et libres. Mais, en vérité, si ce n'est pas pour permettre aux hommes de se traiter en hommes, à quoi bon faire la Révolution? Et devons-nous jouer la partie pernicieuse d'en sacrifier d'abord la fin d'amitié aux moyens cruels de sa réalisation? Moi aussi, je finirai peut-être par choisir la cruauté, par me précipiter dans la guerre, mais il subsistera l'angoisse. Au lieu que Médéric ne connaît même pas l'inquiétude : il veut et il va. Curieuse impression d'avancer à sa hauteur, sans jamais marcher à son pas.

8 juin.

Annou est partie hier soir, accompagnée par son père. Ce sourire à jamais soustrait aux hommes, pour la satisfaction d'un Dieu lointain et jaloux, quelle bêtise!

Reine ne se résigne pas. C'est la première fois qu'on la voit se crisper devant un événement : ce mystère la dépasse. Elle n'a pas voulu conduire sa fille au couvent. Leurs dernières heures, les adieux furent pénibles — la mère durcie par son refus, la fille par sa volonté. On aurait dit un orage qui n'éclate pas, qui passe sans foudre et sans pluie, mais en déchirant les nerfs. « Tu vois, m'a dit Annou, j'entre dans mon sacrifice. Si je m'en étais allée avec le consentement des miens, parmi de douces larmes, mon départ eût été trop facile et je n'aurais rien donné; mais j'arrive à Dieu les mains déjà chargées d'une souffrance. » — « Ah! la souffrance, Annou, toujours ce mot dans la bouche, alors que la loi de la nature est d'exiger le bonheur! » — « Je ne sais pas très bien, m'a-t-elle répondu, ce qu'est la loi de la nature, sinon de dominer, d'écraser les autres et de jouir de soi. Quant à moi, je ne me sens pas assez forte pour être assurée de demeurer propre si je ne me jette pas du côté de la souffrance. » C'est le dernier mot réfléchi que j'ai entendu d'elle; le reste ne fut que banalités affectueuses et propos de gare.

11 juin.

Passé trois jours seul à seule avec Reine. Elle s'est laissée distraire par une soirée au théâtre et une visite aux roses de Bagatelle. Le dernier soir, elle m'a fait un peu de musique et s'est montrée affectueuse. « Mon pauvre grand, m'a-t-elle dit en m'embrassant, il ne nous reste plus que toi. » Ce *nous* m'a fait rougir. Moi aussi, je devrais m'en aller de cette maison!

Mon père est rentré ce matin de Montpellier. Depuis deux mois, il a bien vieilli. Il se voûte, il devient blanc. Il souffre, mais déjà s'invente de nobles consolations : son besoin d'équilibre, et de trouver à tout une signification, l'incite à chercher ce qui peut compenser son mal, se traduire par un *plus*. Comme Jephté, il a donné sa fille : quelle créance sur son Dieu! Comme Job, il est fort de son dénûment, et riche d'avoir tout perdu. Il y a ainsi une sorte de piété bourgeoise qui s'accommode bien d'un certain côté usuraire du christianisme : qui donne aux pauvres prête à Dieu; qui accueille l'épreuve acquiert des mérites; le péché lui-même peut ouvrir les sources de la grâce — *felix culpa !* Donc, point de déficit, tout peut s'inscrire en crédit. Cela, comme disent les prêtres distingués, est bien « consolant ». Mais c'est aussi bien fade. Je n'admets, quant à moi, le style chrétien que dans le ton tragique : la haute prière tourmentée de ceux qui savent qu'il y a un absolu de la douleur, un absolu de l'injustice, un absolu du mal; et qu'ils risquent encore de tout perdre en donnant tout. Car enfin, la passion de leur Christ n'aurait pas été totale, n'aurait pas été valable, s'il n'avait, ne fût-ce qu'un instant, douté de l'ordre de son père, jeté vers le ciel noir un cri d'abandon et de peur...

23 juillet. — Les Cormiers.

Mes examens et l'action pour l'Espagne m'ont retenu à Paris jusqu'à hier. Je suis arrivé ce soir aux Cormiers, à pied, par les champs rasés de lumière oblique. Reine m'attendait au jardin, parmi les fleurs et les pelouses arrosées, dans les parfums mêlés des tilleuls et des framboises — éclatante et claire, et déjà rebaptisée par la mer, le soleil et le vent. Oui, c'était de nouveau Reine des charmilles et des prairies, des vagues et des dunes. Et j'étais, moi, celui qu'elle attendait, car, pour venir à ma rencontre, je voyais qu'elle se retenait de courir et de tendre vers moi ses bras nus. « Bonsoir, mon grand, comme tu as chaud! » C'est elle qui m'a embrassé, qui a essuyé de son mouchoir la sueur de mon cou, et serré sa main sur mon poignet pour me conduire à la maison. Et je me suis senti repris, tout d'un coup, par une vieille fièvre, plus que jamais brûlante. Et, en même temps, je me ramassais contre moi, j'entamais la lutte où je sens que je vais m'épuiser. Car maintenant, ma volonté résiste, je vois et j'accepte l'interdit. Je ne veux pas ce que je désire. J'ai scrupule et pitié.

29 juillet.

Je ne m'étais jamais senti plus éloigné de Reine, sentimentalement, qu'en ces derniers mois; et jamais pourtant notre intimité ne fut aussi douce et aussi facile qu'en ce nouvel été. A la plage, au jardin, au salon, j'ai besoin de sa présence, comme je sens qu'elle a besoin de la mienne; un accord, qui vient du fond obscur et vrai de nous-mêmes, nous rappelle et nous rapproche. Le voisinage de Roger Darnauld ne m'irrite plus, comme l'an dernier, mais plutôt ajoute à ma paix : tant sont visibles l'indifférence de Reine pour lui et sa préférence pour moi. L'absence même d'Annou supprime une contrainte : notre embarras devant ce témoin trop net. Pourquoi donc ne suis-je pas heureux? Pourquoi ce remords, comme une fausse note en sourdine au fond de ma joie? Suis-je donc irrémédiablement cet être double, acharné à se juger et à se gêner, chargé d'une hypothèque imprescriptible d'idées morales et de résidus religieux? Saurai-je jamais m'émanciper pour le bonheur, et me vider du sang paternel?

7 août.

Au fond, c'est cette facilité même qui m'écœure et qui me donne parfois envie de fuir. Chaque jour, après le tennis et le bain, nous avons accoutumé de prendre l'apéritif au club; nous mettons au pick-up un vieux tango que nous aimons et nous dansons ensemble. Reine est fraîche dans sa robe de plage, elle sent la mer, il traîne sur sa nuque des paillettes de sable brillant. Personne ici qui puisse nous surprendre ou nous embarrasser; d'autres couples qui boivent et qui dansent s'occupent de leurs propres affaires, muets complices. Un peu plus tard, nous sommes assis dans la salle à manger des Cormiers, en face de mon père. Un mensonge de silence nous lie, elle et moi, qui me charge et me pèse. Mais rien ne saurait être plus naturel que la façon dont alors elle parle ou se tait; rien plus transparent que le vague sourire où elle s'épanouit, bête et déesse.

13 août.

Ce cotre, j'aurais pu l'acheter plus tôt, en acceptant que Reine me prêtât de l'argent; mais ça, je ne l'ai pas voulu. J'ai attendu de recevoir la petite somme que la Revue me devait, et que je n'ai pas eu le courage d'envoyer à notre caisse pour l'Espagne. Enfin, je puis m'échapper, filer contre la vague, remonter la Gironde et, seul entre flots et nuages, me laisser dériver doucement, couché sur le dos, somnolant au bord du rêve. Ou bien, j'aborde dans un des petits ports de la côte, à Meschers, à Talmont, à Saint-Seurin, et je vais m'attabler au fond d'une auberge, devant un quignon de pain, un morceau de fromage et une bouteille de l'honnête vin blanc du pays. Cette solitude et cette simplicité me font du bien. Je rentre le soir, éventé et purifié. Mais Reine boude un peu; elle souhaite que je l'emmène.

17 août.

J'ai pitié du vieil homme. Autant qu'il se force à la cacher, sa jalousie transperce. Il n'essaie même plus de nous suivre; il n'est plus dans le coup, il le sait. J'essaie encore quelquefois de me donner des prétextes : j'exerce une némésis, je suis la furie née de sa faute. Mais je sais bien que c'est une mauvaise excuse, et que j'obéis à des motifs plus brutaux et moins nobles. Aussi, le plus souvent, je l'épargne, je sauve les apparences; je prends soin d'éviter ce qui blesse son amour-propre. Cette promenade en mer que Reine souhaite de faire avec moi, et qui après tout ne me déplairait pas, je sens bien qu'il la redoute : il la déconseille en prétextant le danger (quel danger?). N'importe, je l'ai jusqu'à présent refusée. Quant à Reine, on dirait toujours qu'elle ne s'avise de rien, que rien n'est suspect, qu'il n'est suspendu sur nous péril ni problème. Inconscience ou cynisme? Je crois inconscience, mais volontaire : cette situation l'amuse, elle ne veut pas voir le fond; elle se laisse porter, elle fait la planche.

23 août.

Longue conversation, hier soir, avec lui, sur la terrasse des Cormiers, en regardant les étoiles. Reine écrivait des lettres au bureau et nous avait laissés seuls, ce qui arrive rarement ici. Parlé d'Annou; discuté religion et politique. Subtil jeu de cache-cache : nous nous efforcions l'un et l'autre d'être sincères, de ne livrer de nous que du vrai; et cependant, nous avions peur l'un et l'autre de dire un mot de trop, de toucher à ce qui nous divise dans le fond, de provoquer la scène — ou l'effusion. Ainsi, nous conduisions côte à côte nos deux drames, plus séparés que par un océan. Père et fils en cela : pareillement lucides, analystes et scaphandriers de nous-mêmes. Si nos consciences, si ces deux atmosphères sèches et chargées venaient en contact, quelle explosion! et que d'horreurs répandues! Mais nous sommes d'accord, tacitement, sur un point : nous retrancher dans nos places; n'admettre que des escarmouches; éviter l'explication.

25 août.

Où vais-je et qu'est-ce que je veux? Rien de moins net, de plus sinueux que mes rapports avec Reine. Quand je la trouve trop docile, trop prompte à venir vers moi, je la repousse ou je la fuis. Non pas qu'elle me dégoûte : jamais — et c'est le signe le plus certain que je l'aime — jamais je ne m'arrête à considérer ce qui est peut-être, pourtant, un aspect de sa vérité : sa sensualité mal satisfaite et fouettée par l'inquiétude de vieillir. Non, chère Tante Reine, je ne pense jamais cela de vous, même si je sais, au fond, que c'est vrai. Mais je sens entre nous une zone défendue, j'ai peur de gaspiller en une fièvre banale le plus beau feu de mon âme, et je m'échappe. Et pourtant, dès que je réussis trop bien à nous séparer, dès que Reine affiche à son tour de l'indifférence et de l'éloignement, un fol élan me rejette vers elle, et je reprends ma vieille stratégie séductrice et corruptrice. Je fais du charme, je la circonviens de gentillesses, je prête à ses goûts et à ses idées une attention qu'elle n'a jamais obtenue de personne, et surtout pas de son mari; je souffle sur sa conscience fragile le paradoxe, le scepticisme. En ces moments-là, oui, je suis atroce, car absolument clairvoyant. Je suis le démon, je l'éblouis, je l'affole par la tentation subtilement suggérée d'une liberté totale, qui ne flatte pas moins son amour-propre que ses sens. Et comme elle écoute bien ma voix! Combien je la sens prête! Le malicieux travail que je poursuis depuis trois ans, l'érosion de ses principes moraux et de sa foi religieuse, j'en recueille les fruits, en même temps que je m'en découvre à moi-même l'intention enveloppée : cette capitulation de l'esprit, pourquoi l'ai-je exigée, sinon comme condition d'une victoire plus vertigineuse? — Ah! je sens bien qu'il faudrait fuir! Déjà, je ne connais plus la paix qu'au large, éloigné de la terre impure, bercé par le flux qui endort intelligence et vouloir, et ne laisse subsister en moi qu'une diffuse conscience d'être. Demain, pourtant, j'emmènerai Reine sur la mer, je le lui ai promis; mon père va consulter des archives à La Rochelle et s'absente pour la journée; nous serons rentrés aux Cormiers avant son retour; il ne saura rien.

. . . .

3 septembre. — De Saint-Brieuc.

J'ai eu la force d'assister aux obsèques, mais non point celle de rentrer aux Cormiers. A la porte du cimetière, j'ai embrassé mon père, et je me suis enfui à pied à travers les champs. Vers le soir, j'ai trouvé un autobus, une gare; je n'osais pas non plus regagner Paris, j'ai pris des trains pour la Bretagne; Médéric m'a recueilli à Saint-Brieuc. Me voici dans sa petite chambre obscure, devant la table d'écolier maculée d'encre où il a tant travaillé pour la justice des pauvres; me voici ressassant mes souvenirs et mes problèmes égoïstes, me scrutant, me jugeant, pleurant ce que j'ai perdu. En vérité, je ne saurais penser à autre chose; j'écris pour me délivrer de l'idée fixe.

Une semaine aujourd'hui. Mon père, ayant pris l'auto, était parti de bonne heure pour La Rochelle. Nous deux, la route de Royan en side-car, comme chaque matin. Au port, j'ai détaché mon bateau, neuf heures sonnaient quand nous doublions la jetée. Béatitude bleue de l'Atlantique; la brise du large nous fit croiser doucement dans l'estuaire. Reine était contente, et comme recueillie; elle parlait peu, mais elle chantonnait parfois, à voix soupirée, les airs qu'elle savait que j'aime. Vers midi, nous étions devant Meschers; nous prîmes terre sur une conche sauvage et, dans l'ombre effilochée des pins, enveloppés par la blancheur torride des sables, nous avons déjeuné de jeune appétit. A l'extrémité de la conche, un pan de falaise, détaché de la côte, formait un îlot minuscule; nous y avons grimpé. Un arbuste tordu par le vent protégeait nos têtes du cruel soleil d'août; un feutre de grandes herbes sèches et de fleurs rouges reçut nos corps heureux; j'ai posé ma tête dans la main de Reine, et je me suis endormi. C'est elle qui m'a réveillé en couvrant de baisers mes cheveux et mon front. — « Denis, me disait-elle, quelle serait ma vie sans toi? Comment te remercier de ce que tu me donnes? Tu es jeune, et tu t'en iras, je le sais; mais tu es venu; et quand je ne t'attendrai plus, je garderai encore nos beaux souvenirs. » Je me penchai sur elle, tout près de son visage; comment nommer la force qui me retint en cet instant de prendre ses lèvres? Je posai seulement les miennes sur l'arc tendu de ses sourcils. « Reine, lui dis-je, ne vous est-il jamais venu à l'esprit que je pourrais n'avoir pas le droit de vous aimer? » — « On a le droit d'aimer qui l'on veut, Denis. N'est-ce pas la morale que tu m'as enseignée, contre les sottises où l'on nous étrangle? » — « Reine, repris-je soudain avec une brutalité sans préméditation, Reine, tu ne sais donc pas que je suis le fils de ton mari? » Elle se releva brusquement sur un coude, pâlit un peu, et se tut quelques secondes. « Pourquoi me dis-tu cela, Denis, murmura-t-elle enfin, et pourquoi en ce moment? Je suppose, reprit-elle avec plus d'assurance, que tu n'as pas parlé sans certitude. Eh bien! ta certitude, garde-la pour toi. Je n'ai pas de secrets, comprends-tu, Denis, et je n'en ai jamais eu; c'est pourquoi je n'ai pas voulu avoir de soupçons. Ce que les autres m'ont dérobé de la vérité, j'avais bien le droit de l'ignorer, j'ai bien le droit de l'ignorer encore, et toujours. »

Elle n'avait pas de secrets! Elle me disait cela cachée avec moi entre la mer et le ciel, la tête appuyée sur ma poitrine nue. En un sens, c'était vrai : elle n'avait pas de secrets puisqu'elle ne croyait pas en avoir, puisqu'elle se laissait imprégner sans pensée par un amour qu'elle acceptait aussi naturellement que la lumière de l'été et que l'haleine salée de la mer. — « Reine, lui dis-je, l'heure avance, la marée monte, il faut revenir au bateau. » — « Ce jour nous appartient, fit-elle, il te tarde donc bien de le voir finir? » Alors, je m'étendis auprès d'elle, je posai ma tête dans le creux de son épaule, et je m'enfonçai, extasié, dans cette douceur, dans cette odeur et dans cette fraîcheur de Tante Reine dont le désir, depuis mon adolescence, m'obsédait.

Elle parla et elle pleura. « Crois-tu que j'ai été heureuse ? J'aime la vie, je déteste le drame, et je me suis résignée à tout. Au début de mon mariage, j'ai bien senti que mon mari se détachait de moi. Quand il m'est revenu, j'ai compris ce que j'étais pour lui : une femme jeune et assez belle, qui flattait ses sens et sa vanité; mais s'est-il jamais soucié de moi ? M'a-t-il fait une part dans la vie de son esprit ? Nous n'étions accordés ni par l'âge ni par les goûts : a-t-il fait le moindre effort pour se rapprocher de moi, ou pour m'élever à lui ? Il a vécu seul, dans ses livres, dans ses idées, dans ses problèmes, dans ses principes. Si tu n'étais pas venu, Denis, si tu n'avais pas ouvert mon intelligence et mon cœur, je ne saurais pas ce que c'est que d'avoir rencontré quelqu'un... Et voici que tu me révèles, ce soir, que tu es de tous les hommes le seul qu'il me soit défendu d'aimer. Tu me découvres entre nous une horreur. Ah! vous avez tous été bien cruels envers moi; ce n'est pas aujourd'hui, c'est avant que je ne m'attache à toi par toutes les fibres de mon cœur, que ton père aurait dû te chasser de mon foyer, ou que tu aurais dû t'enfuir... »

Je n'avais rien à répondre; je ne pouvais que lui murmurer des paroles douces, et caresser ses mains. Sur l'Océan le soleil baissait; la pleine mer nous avait investis d'azur et d'argent; le vent fraîchissait et forçait les vols de tourterelles, qui passaient vers le Sud, à raser la cime des pins et les foins de la falaise, si près de nous que nous distinguions un instant la tache rose de leurs gorges grises. Reprise par la joie de l'heure, Reine s'était tue; ses larmes avaient séché sur sa joue, et elle semblait respirer au rythme du monde heureux. « *Repose, ô Phidylé* », lui murmurai-je; et elle me répondit en dessinant à mi-voix la grande phrase païenne de la mélodie de Duparc. Pour la seconde fois, je me penchai sur son visage; mais, prenant ma tête à deux mains, elle me repoussa : « Non, Denis, c'est trop tard, tu as parlé... Rentrons maintenant. » Nous regagnâmes le cotre à la nage. Nous ne fûmes à Royan qu'au crépuscule et aux Cormiers à la nuit tombée.

Mon père nous attendait dans le parc. Dès que j'aperçus son front barré, sa face exsangue et ses mains crispées, je compris que nous étions reçus par un juge. Mais je ne me doutais pas qu'il allait — lui toujours si correct et discret, et maître de ses attitudes — éclater soudain en reproches et en injures : hors de lui, ou plutôt rejeté dans la vérité cachée de lui-même, le vieil homme laissa crever sur nous l'abcès de ses secrets, de ses humiliations, de sa jalousie. Sa politesse, sa culture, son ironie, ce vêtement de bonne coupe dont je l'avais toujours vu couvert, comme il se déchira dans l'émeute des passions! Par respect et par ce qui me reste d'amitié pour lui, je ne veux pas l'évoquer davantage dans la nudité laide de sa colère. Reine, stupéfaite, lui opposa un silence plein, où nul retour d'affection, nul élan de pitié ne passa. Et elle se retira dans sa chambre tandis que, muet aussi, j'allai m'enfermer dans la mienne. Un peu plus tard, j'entendis que quelqu'un prenait l'auto dans le garage et j'aperçus le fuseau des phares sur l'allée; puis la fenêtre du bureau de mon père s'ouvrit, et sa voix cria en vain dans l'ombre : « Irène, que fais-tu? Où vas-tu? Reviens ici! » Je descendis d'un bond, je sautai sur ma moto, et je pris la voiture en course. Dans la nuit, et malgré les écharpes de brume qui traînaient dans les fonds, Reine menait à une vitesse folle; je réussis pourtant à la dépasser un peu avant Saintes, et elle obéit à mon signe de ralentir et de s'arrêter. Elle sanglotait nerveusement. « Que me veux-tu? Que me voulez-vous encore? Je n'ai plus ma place entre vous. Laisse-moi m'en aller. » — « Mais où allez-vous, Tante Reine? Vous souffrez, vous tremblez, vous ne commandez plus à vos nerfs. Attendez demain pour décider. » — « Je sais fort bien ce que je fais. Je vais prendre un train à Bordeaux et voir ma fille. Je comprends tout maintenant. Je n'ai plus qu'elle au monde. Laisse-moi, Denis. » Je voulus entrer dans la voiture, l'entourer de mes bras, la consoler. Mais elle me repoussa. « Non, mon petit, l'épaisseur des choses qui sont entre nous ne se traverse plus. Il fallait ou ne pas construire ces mensonges, ou ne pas les briser. Ton père est plus coupable que nous, mais nous le sommes tous, Adieu. Je te défends de me suivre. » Elle referma brusquement la portière, et démarra. Je demeurai quelques instants, paralysé, au bord de la route; puis je ne sais quelle impulsion me détourna de lui obéir, et je repartis à sa poursuite. Elle dut s'en apercevoir, car elle accéléra désordonnément l'allure. Quelques kilomètres après Saintes, la voiture, qui traversait un banc de brouillard, fit une embardée sur la route et s'écrasa contre un arbre.

Reine ne mourut que dans l'après-midi, à l'hôpital de Saintes, en me serrant la main. Dans une demi-conscience, elle avait accepté le secours d'un prêtre, demandé pardon à son mari et à sa fille. Elle fut transportée, selon son vœu, à Chignac, et déposée entre son père et ses vieux oncles dans la sépulture prétentieuse des Aupetit. Annou ne demanda pas la permission d'assister aux obsèques; elle pria seulement son père de venir l'embrasser dans le parloir de son couvent.

7 septembre.

Je crois à l'accident. Elle était bouleversée, elle avait perdu le contrôle d'elle-même, elle n'a pas eu positivement la volonté de se tuer. Reine était claire et calme, elle n'était pas quelqu'un qui se tue — mais sait-on jamais ? Accident ou suicide, suis-je responsable, et dans quelle mesure ? Est-on responsable de ce qu'on n'a pas voulu et de ce qui, s'étant produit, vous déchire l'âme à ce point ? Reine est morte, comment s'y résigner ! Comment oublier les quinze heures de son agonie, l'affreux combat sans rémission et sans espoir de son corps souffrant, cette lutte, cette déroute de tout ce qui était en elle vigueur, santé, joie, chant, désir, appétit de sentir et d'aimer ?

12 septembre. A Paris.

Et pourtant, j'accepterai; déjà la douleur révoltée des premiers jours rend la main, je retrouve par instants la joie de sentir battre en moi un cœur jeune; mon propre vouloir-vivre exige son dû. Et j'oublierai aussi; déjà s'estompe l'obsession du grand regard figé par la peur, et de ce qu'il advient, sous la terre froide, de cette chair mortifiée. Ce matin, la pensée m'occupe de ce que je dois faire aujourd'hui — formalités de mon engagement, préparatifs de mon départ pour l'Espagne — et de ce qui m'attend demain : la guerre, le danger, la camaraderie d'une lutte généreuse et soit l'orgueil de la victoire, soit la fière amertume de la défaite, soit ma propre mort. Ma vie et ma mort, à moi, si loin de sa vie et de sa mort, à elle ! Car chacun n'a que d'être et de n'être plus, et je me demande si, en fin de compte, rien de l'essentiel est jamais partagé...

28 septembre. A Neuilly.

J'ai donc choisi; mon engagement est signé, je serai en Espagne dans trois jours, je me battrai dans un mois. Je n'ai pas averti mon père, et je pars dès ce soir, en sachant qu'il arrivera demain. Il trouvera un billet d'adieu sur son bureau. Lâcheté? Non, précaution contre moi-même : au point où nous sommes venus, l'explication jaillirait; l'attendrissement aussi, le pardon réciproque, l'effacement par les larmes. Et je perdrais mon courage; je ne pourrais plus m'en aller; je serais englué dans l'acceptation. Ce n'est pas le temps de m'humaniser; j'ai choisi la pureté du refus.

Je pars comme un voleur de cette maison où je fus introduis en fraude. C'est mon excuse. L'homme qui a souffert ici à cause de moi, et qui va souffrir davantage, était débiteur de sa faute. Il m'a engendré dans le mensonge, et il a mis une vertu à ne pas m'avouer; mais ce mal qu'il a cru étouffer en le cachant était inextinguible comme une flamme; il était en moi; il était moi. Je suis son péché qui le juge et qui le frappe. Et nous tous, les révoltés, les violents, nous sommes le péché de cette société injuste, de ce monde à grimace de vertu, et nous jugeons, nous frappons nos pères coupables. La faute enfante une violence qui punit la faute : c'est la loi de l'histoire; la vraie loi d'airain. Je sens bien qu'il pourrait y avoir une autre morale, celle qui essaie de trancher le fil fatal par la miséricorde et l'amour. Je la repousse : elle m'amollirait; je parie pour l'ordre qui naît de la guerre.

Ah! qu'il est difficile de se séparer des êtres et des choses! Le silence clair de l'appartement m'enveloppe d'une douceur de trahison. J'y suis seul, mais obsédé de présences, qui m'appellent, qui s'accrochent à moi, qui paralysent ma brassée vers l'aventure. Moi aussi, j'ai souffert ici, j'y ai connu la haine, l'humiliation, le mépris, la colère; et ces forts sentiments ne sont pas ceux qui m'ont le moins attaché au décor et à la pièce. D'autres voix plus douces jettent vers moi un chant de sirènes, d'autres images se lèvent qui brisent au milieu de ma poitrine je ne sais quelle masse crispée et dure. Le guéridon où, convalescent auprès d'Annou petite fille, je feuilletais les collections d'images; les livres de ma chambre sur les rayons de bois sombre; le fauteuil de mon père derrière son bureau encombré, le divan où je l'ai vu lutter contre la mort; la boîte à cigarettes de Reine, le coin de fenêtre où Reine s'asseyait pour lire et fumer, le piano de Reine... Quand on referme la porte du salon un peu fort, le piano vibre doucement, comme s'il vivait, comme s'il appelait ou pleurait quelqu'un; j'ai souvent entendu ce bruit, sans même m'apercevoir que je l'entendais; et tout à l'heure, comme j'entrais dans le salon, ce petit bruit inconsciemment familier a retenti, et ce fut comme si sept années de ma vie remontaient globalement de l'abîme mortel. Toute mon âme s'est réveillée, toute la maison s'est réveillée, avec toutes ses lumières et toutes ses odeurs. Clartés du matin quand le soleil perce les arbres de l'avenue. Clartés du lustre de la salle à manger et de la petite lampe sur le piano. Odeur de cire et de papiers de la bibliothèque, odeur fleurie du salon. Parfum de Reine et clartés de ses cheveux blonds; de Reine dans le soleil ou dans la pénombre; de Tante Reine penchée sur mon lit d'enfant...

Il faut briser tout cela, partir. Je suis prêt. J'ai transporté chez Médéric tout ce qui m'appartenait ici. J'ai installé ma mère dans une maison de repos en banlieue, et la prime de mon engagement a payé sa pension. Je prendrai dans trois heures un express de nuit pour Montpellier; car je veux revoir Annou avant de traverser la frontière. Frontière! combien ce mot est beau et lourd sous ma plume! Je vais naître à mon existence de liberté.

29 septembre au soir. De Montpellier.

Dans cet arrière-café misérable, suis-je assez seul! Ces heures d'absolue déréliction, je les ai choisies, j'ai voulu les épuiser jusqu'à l'extrême amertume. Non certes comme une solution définitive (car demain j'aurai retrouvé des camarades, de vrais et profonds camarades et, de toute mon âme, je *participerai*), mais comme une veillée d'armes, et comme un recueillement. Me recueillir, oui, ramasser le fond de moi-même et le porter au clair de ma pensée, le percer de conscience. Agir après.

Non, je n'ai pas revu Annou. Son couvent est en dehors de la ville; tout l'après-midi, par les petites rues provinciales et les venelles bordant la campagne, j'ai tourné autour de la bâtisse et du jardin invisible; deux fois je me suis arrêté devant la porte, et je n'ai pas frappé. Sur le point de franchir le seuil, de prononcer ce nom, d'apercevoir cette figure, une puissance intérieure a bloqué mes gestes. Comment oser, après la mort de Reine, rencontrer le regard d'Annou? Comment lui parler de cela, et comment me taire? Et puis, aurait-elle compris l'élan farouche qui me jette parmi les ennemis armés de son Christ? Et aurais-je accepté, moi, de la voir sous l'uniforme de son sacrifice insensé ? Nous irriter, nous blesser, nous repousser mutuellement en cette minute définitive, je n'ai pas pu affronter un pareil chagrin, j'ai choisi de respecter la grande ombre, le grand silence entre nous.

Je n'ai pas revu Annou et je ne lui écrirai pas. Je n'ai pas laissé mon adresse à mon père. Le dernier baiser que j'ai reçu de ma mère, à peine savait-elle, dans sa torpeur démentielle, à qui et pourquoi elle le donnait. D'un coup de pied, j'ai rejeté la barque vers le courant, j'ai sauté sur la terre vierge où m'attendent mon aventure, mes actes, mon destin et quoi ? la grenade ou la bombe qui déchiquettera mon corps, ou douze balles dans la peau. J'adore la vie, je hais le néant; et cependant, je cours au-devant de la mort, je l'affronte, je la défie. Pourquoi ? Par sentiment d'un devoir ? Par respect de moi-même ? Par volonté de dépassement intérieur ? Par foi dans une cause ? Par besoin de me sentir solidaire avec les plus pauvres, les plus intransigeants et les plus révoltés ? Ou, lâchement, par désespoir d'avoir perdu mon amour ? Par remords d'avoir tué ce que j'aimais ? — Oui, pour toutes ces raisons ensemble, sans que je puisse discerner laquelle fut absolument décisive. Comment comprendrions-nous les autres ? Nous savons si peu de nous-mêmes ! Nous ne pénétrons pas la seule chose qui serait importante à connaître : le motif de nos suprêmes engagements, les mouvements de notre liberté.

1er octobre. — 2 heures du matin. — De Port Bou.

Enfin de l'autre côté ! Nous sommes une dizaine qui attendons, campés dans une salle d'école, l'ordre de partir en colonne vers une caserne de l'intérieur. Mes camarades ne sont encore que des compagnons de hasard, fatigués et sommeillants. Je m'accorde une heure ultime de solitude, un dernier retour à mes fantômes.

Hier matin, devant quitter Montpellier de très bonne heure, l'envie m'a pris — une envie bête, sentimentale, mais irrésistible — de voir encore le couvent d'Annou. Il faisait nuit quand j'ai quitté l'hôtel, traversé la ville, atteint la campagne; il avait plu, l'ombre était cotonneuse et moite. Solitude énorme, et comme perceptible à mon corps; c'est idiot à dire : j'avais peur. Le cœur pincé, un grand besoin de pleurer; et pourtant quelque chose de noué en moi, une aridité des yeux et de l'âme. Ah! revoir Annou, ne point même lui parler, ni l'entendre, mais rencontrer un instant son regard, baiser en silence le dernier pli de sa robe, et m'en aller après! Folie, la veille, de n'avoir pas levé ce heurtoir, poussé la porte; absurde orgueil et faux courage. Trop tard! Le château d'ombre et de hautes pierres lisses ne m'était pas moins défendu que l'aire obscure de la grande Ourse, entre ses sept tourelles scintillantes dans un trou du ciel. Le seul être absolument clair qu'il m'ait été donné de rencontrer ne se pencherait pas sur ma misère pour la purifier, sur mon espoir pour le bénir; le seul capable, en son intelligent amour, de m'aider à descendre dans mon remords; le seul assez humble pour ne point me blesser en me consolant...

Et alors, tandis que les choses prenaient des formes fantastiques dans l'aube diffuse et mouillée, la cloche du couvent tinta. Elle a tinté d'abord doucement, comme le premier soupir humain sortant de la nuit; puis ce furent les premiers bruits de la journée ouvrière, les sifflets des trains qui s'attellent, les roulements de voitures sur les routes, les sirènes, de leur haut cri tragique convoquant les foules noires; et, une seconde fois, plus longuement, la cloche a sonné. Si j'avais cru, j'aurais pensé que rien n'était plus considérable, en cet instant du monde, que cette petite âme de bronze en vibration, pure dans l'univers impur, appel du chaos vers l'ordre, de la prison terrestre vers on ne sait quelle liberté pressentie, et de l'amour qui souffre vers un amour qui comble. Non, je ne crois pas que cette voix rencontre dans l'infini où elle se disperse un esprit qui la recueille, un Dieu qui s'en soucie. Je crois que la vérité de l'homme est ici-bas, du côté des bruits violents, si beaux aussi, que font les choses produites et dirigées par sa puissance; que c'est dans cette ville, sur ce globe émergeant de l'ombre qu'il faut mettre de l'ordre et construire du bonheur, par raison et courage, non par poésie et prière. Ainsi je pense — et pourtant, cette voix qui s'est réveillée la première pour inviter des âmes à contempler le parfait, à méditer sur la douleur et à entretenir un feu d'amour, cette voix que nous voulons faire taire pour qu'elle n'endorme plus la colère des esclaves, sommes-nous certains d'inventer un chant assez beau qui la remplace et, en attendant que naisse notre sublime, qu'y aurait-il eu de doux et de clair aujourd'hui, dans le froid de l'aube, pour élever un cri spirituel si, avant toute autre, elle n'avait surgi de la nuit, de la peine des vivants, du silence des morts?

Annou, il m'a semblé que j'ai compris ta noblesse; peut-être aurais-tu compris la mienne. Si séparés, toi et moi, et pourtant tellement de la même race! Sœur et frère par la conscience d'un désordre, la violence d'un refus et le choix des routes dures. Tristes l'un et l'autre, mais chacun voguant sur un soleil... — L'heure du départ approche; que pourrais-je ajouter? Ce qui demeure est mon mystère, à moi-même impénétrable, et je ne gaspillerai plus mes forces à le cerner de mots. Je n'écrirai plus rien dans ce carnet. Je suis un soldat qui a choisi sa cause; j'appartiens désormais à l'action. Tant pis si c'est, par l'action, à la mort; tant mieux si c'est à l'amour, si l'amour existe, s'il y a sur moi une chance, une grâce... Voici le camion militaire; un officier m'appelle; nous serons ce soir à Barcelone.

Suivent, au bas de la dernière page, ces quelques lignes d'une autre écriture :

Ces deux carnets ont été trouvés sur le sergent Denis Van Smeevorde, tué devant Madrid le 24 mars 1938, alors qu'il rentrait d'une mission volontaire dans les lignes ennemies. Avec les carnets, un portefeuille, qui contenait divers papiers d'identité, une photo d'homme, quelques coupures de monnaies française et espagnole, une citation et deux lettres. Le tout a été remis au représentant de la Croix-Rouge internationale, le 26 mars, à fin de transmission à la personne dont le militaire susnommé avait indiqué l'adresse pour être avertie en cas d'accident : Monsieur Gilbert d'Aurignac, 12, rue Perronnet, à Neuilly-sur-Seine. — Le capitaine commandant l'Unité (signature illisible).

TABLE

BIBLIOTHÈQUE DU

CLUB DE LA FEMME

CET OUVRAGE
A ÉTÉ ACHEVÉ
D'IMPRIMER
LE 30 JANVIER 1971
SUR LES PRESSES
DE LA SOCIÉTÉ
BRODARD ET TAUPIN
IMPRIMEUR-RELIEUR
PARIS-COULOMMIERS
ET TIRÉ
SUR PAPIER SPÉCIAL
MOULIN DE PRADELLE

IL A ÉTÉ COMPOSÉ
EN GARAMOND 156 PAR
L'IMPRIMERIE DE FRANCE
A CHOISY-LE-ROI.

LE DÉCOR DE LA RELIURE,
LA GRAPPE DE LA TERRE PROMISE,
ÉMAIL (ART DE LA MEUSE DU XIIe SIÈCLE),
EST UN DOCUMENT GIRAUDON.

LES PHOTOS DES PAGES 2;
3, 19 (CLICHÉS JEAN-REY); 6;
7 (CLICHÉS ANDRADE); 10, 14, 15
(CLICHÉS CAMERA-PRESS); 11 (CLICHÉ
MOUNICQ); 12-13 (CLICHÉ J.R. VAN
ROLLEGHEN); 18 et 20 APPARTIENNENT
A L'AGENCE HOLMES-LEBEL.
LA PHOTO DES PAGES 8-9 NOUS A ÉTÉ
COMMUNIQUÉE PAR L'AGENCE MAGNUM
(CLICHÉ ERICH HARTMANN).
LE DOCUMENT DES PAGES 16-17 EST
UNE PHOTO A.P.N.
LE PORTRAIT DE PIERRE-HENRI SIMON
EN PAGE 4 A ÉTÉ RÉALISÉ PAR SNUSH.

N° dépôt légal éditeur 9571179
N° dépôt légal imprimeur 4480/02/01/71.

UNE PRODUCTION DES ÉDITIONS ROMBALDI.